Ca...
Alabanza y
Adoración

EDITORIAL MUNDO HISPANO

Apartado Postal 4256, El Paso, TX 79914 EE. UU. de A.

www.editorialmh.org

Editores: Felipe Kirk Bullington, Annette Herrington
Diseño de la portada: Gloria Williams-Méndez
Fotografía de la portada: Oscar Yanez

Primera edición: 2002
Clasificación Decimal Dewey: 782.27
Tema: Himnario

ISBN: 0-311-32245-X
E.M.H. Art. Núm. 32245

10 M 6 02

Impreso en Bielorrusia
Printed in Belarus

Printed by Printcorp. LP № 347 of 11.05.99. Kuprevich St. 18,
Minsk, 220141. Ord. 0238. Qty 10 000 cps.

Contenido

PREFACIO

Después de esto miré, y he aquí una gran multitud de todas las naciones y razas y pueblos y lenguas, y nadie podía contar su número. Están de pie delante del trono... se postraron sobre sus rostros delante del trono y adoraron a Dios diciendo: "¡Amén! La bendición y la gloria y la sabiduría y la acción de gracias y la honra y el poder y la fortaleza sean a nuestro Dios por los siglos de los siglos. ¡Amén!"

Apocalipsis 7:9-12 RVA

El libro de Apocalipsis nos relata que Juan tuvo una visión del cielo donde todas las naciones, razas, pueblos y lenguas adoraban al Señor. Estaban dando la bendición, la gloria, la sabiduría, la acción de gracias, la honra, el poder y la fortaleza al que es digno de recibir nuestra alabanza y adoración. Este himnario ha sido desarrollado y preparado con la oración de que las iglesias donde se habla castellano ahora puedan llevar a cabo su adoración en una manera parecida a la visión de Juan.

Los símbolos después del título, p. ej.: [A-1], son para coordinar los cantos con el juego de discos compactos (DCs) que contiene las pistas instrumentales (EMH #48326). Los DCs son útiles para los que no tienen músicos o instrumentos para acompañar el canto.

Siempre es difícil nombrar a todas las personas que han ayudado en la elaboración de un recurso como este. Sin embargo, deseamos expresar nuestra gratitud a Peggy Portillo, Pamela Valle, Rudy A. Hernández, Ray Sánchez y Terry W. York por sus sugerencias en cuanto al contenido. Gracias a Adelina Almanza, Jonathan Aragón, Salomón R. Mussiett y a Regino Ramos, hijo, por traducir varios himnos y coros. Finalmente, agradecemos a las compañías de música que colaboraron con los permisos de derecho de autor.

A Dios sea la gloria.

Los Editores

1. Santo, santo, santo [A-1]

¡Santo, santo, santo es Jehovah de los Ejércitos! – Isaías 6:3

1. ¡Santo! ¡Santo! ¡Santo! Señor Omnipotente,
Siempre el labio mío loores te dará;
¡Santo! ¡Santo! ¡Santo! te adoro reverente,
Dios en tres Personas, bendita Trinidad.

2. ¡Santo! ¡Santo! ¡Santo! en numeroso coro,
Santos escogidos te adoran sin cesar,
De alegría llenos, y sus coronas de oro
Rinden ante el trono y el cristalino mar.

3. ¡Santo! ¡Santo! ¡Santo! la inmensa muchedumbre,
De ángeles que cumplen tu santa voluntad,
Ante ti se postra bañada de tu lumbre,
Ante ti que has sido, que eres y serás.

4. ¡Santo! ¡Santo! ¡Santo! la gloria de tu nombre,
Vemos en tus obras en cielo, tierra y mar.
¡Santo! ¡Santo! ¡Santo! te adora todo hombre,
Dios en tres Personas, bendita Trinidad.

Reginald Heber, 1783-1826; trad. Juan B. Cabrera.

2. Digno de honra [A-2]

*Digno eres tú, oh Señor... de recibir la
gloria, la honra y el poder — Apocalipsis 4:11*

1. Digno de honra, digno de honor,
Digno de gloria y de loor.
Digno de cantos y de adorar,
Digno de ofrenda traída al altar.

Tú eres digno, Dios, Padre nuestro.
Tú eres digno, Cristo divino.
Tú eres digno, maravilloso y digno de todo honor.

2. De reverencia y santo temor,
   Digno de toda la devoción,
   Digno eres tú de todo el honor,
   Digno de gloria y toda oración.

Tú eres digno, Dios, Padre nuestro.
Tú eres digno, Cristo divino.
Tú eres digno, maravilloso y digno de todo honor.

3. ¡Oh! poderoso Padre y Señor,
   Rey de los reyes y Redentor,
   Príncipe eterno de toda la paz,
   Fuente de vida que no acabará.

Tú eres digno, Dios, Padre nuestro.
Tú eres digno, Cristo divino.
Tú eres digno, maravilloso y digno de todo honor.

Terry W. York, 1949-; trad. Lydia Padilla. © Copyright 1988 Van Ness Press, Inc.
Trad. © copyright 1992 Broadman Press. Usado con permiso.

3. A Dios demos gloria [A-3]
*Nuestro Dios y Padre, a quien sea la gloria
por los siglos de los siglos — Gálatas 1:4, 5*

1. A Dios demos gloria, pues grande es él;
   Su amor es inmenso y a su Hijo nos dio:
   Quien fue a la cruz do sufrió muerte cruel,
   Y así de los cielos las puertas abrió.

Dad loor al Señor, Oiga el mundo su voz;
Dad loor al Señor, Nos gozamos en Dios.
Vengamos al Padre y a su Hijo Jesús,
Y démosle gloria Por su gran poder.

2. Por darnos la vida su sangre vertió;
   Jesús al creyente es promesa de Dios;
   El vil pecador que de veras creyó
   En ese momento perdón recibió.

Dad loor al Señor, Oiga el mundo su voz;
Dad loor al Señor, Nos gozamos en Dios.
Vengamos al Padre y a su Hijo Jesús,
Y démosle gloria Por su gran poder.

3. Dios es el Maestro, potente Hacedor,
   Y grande es el gozo que Cristo nos da;
   Mas nuestro asombro será aún mayor
   Al ver a Jesús que en su gloria vendrá.

Dad loor al Señor, Oiga el mundo su voz;
Dad loor al Señor, Nos gozamos en Dios.
Vengamos al Padre y a su Hijo Jesús,
Y démosle gloria Por su gran poder.

Fanny J. Crosby, 1820-1915; trad. Adolfo Robleto.
© Copyright 1978 *Casa Bautista de Publicaciones.*

4. Rey de gloria [A-4]

Y toda lengua confiese para gloria de Dios Padre
que Jesucristo es Señor — Filipenses 2:11

Rey de gloria, Dios del cielo,
Salvador, Hijo de Dios.
Dios de gracia, Rey del cielo,
Eres todo para mí.

Greg y Gail Skipper, 1950-; trad. Salomón R. Mussiett.
© Copyright 1993 Broadman Press. Traducido y usado con permiso.
Trad. © copyright 1994 *Casa Bautista de Publicaciones.*

5. Canta a Dios con alegría [A-5]

Mis labios se alegrarán, cuando yo te cante salmos — Salmo 71:23

1. Canta a Dios con alegría el mensaje del Señor,
   De la verdadera vida que nos da con tanto amor.
   Cada historia de la Biblia nos relata su poder;
   Démosle nuestra alabanza, Demos todo nuestro ser.

2. Nuestro Dios, te agradecemos tu sin par revelación;
   Prometemos ser testigos a nuestra generación.
   Tu evangelio anunciaremos a la inmensa humanidad;
   Tu palabra llevaremos Al hacer tu voluntad.

3. Cristo nos dejó un mandato en su hora de triunfar,
   Y nos pide todavía ir al mundo y predicar.
   Que los hombres todos sepan de Jesús y su bondad,
   Que su amor sincero y puro Quiere darles libertad.

Georgia Harkness, 1891-1974; trad. Jorge Sedaca.
© Copyright 1966 por The Hymn Society, Texas Christian University, Fort Worth, TX.
Todos los derechos reservados.Usado con permiso de Hope Publishing Co., Carol Stream,
IL 60188. Trad. © copyright 1978 *Casa Bautista de Publicaciones.*

6. Castillo fuerte es nuestro Dios [A-6]
Dios es nuestro amparo y fortaleza — Salmo 46:1

1. Castillo fuerte es nuestro Dios, Defensa y buen escudo.
   Con su poder nos librará En todo trance agudo.
   Con furia y con afán Acósanos Satán:
   Por armas deja ver Astucia y gran poder;
   Cual él no hay en la tierra.

2. Nuestro valor es nada aquí, Con él todo es perdido;
   Mas con nosotros luchará De Dios el escogido.
   Es nuestro Rey Jesús, El que venció en la cruz,
   Señor y Salvador, Y siendo el solo Dios,
   Él triunfa en la batalla.

3. Y si demonios mil están Prontos a devorarnos,
   No temeremos, porque Dios Sabrá cómo ampararnos.
   ¡Que muestre su vigor Satán, y su furor!
   Dañarnos no podrá, Pues condenado es ya
   Por la Palabra Santa.

4. Esa palabra del Señor, Que el mundo no apetece,
   Por el Espíritu de Dios Muy firme permanece.
   Nos pueden despojar De bienes, nombre, hogar,
   El cuerpo destruir, Mas siempre ha de existir
   De Dios el Reino eterno.

Martin Luther, 1483-1546; trad. al castellano Juan B. Cabrera.

7. Protección divina

El que habita al abrigo del Altísimo morará bajo la sombra del Todopoderoso. Diré yo a Jehovah: "¡Refugio mío y castillo mío, mi Dios en quien confío!"

Salmo 91:1, 2

8. ¡Cuán grande es él! [A-7]
No hay como... Dios — Deuteronomio 33:26

1. Señor mi Dios, al contemplar los cielos,
   El firmamento y las estrellas mil;
   Al oír tu voz en los potentes truenos
   Y ver brillar el sol en su cenit:

   Mi corazón entona la canción,
   ¡Cuán grande es él! ¡Cuán grande es él!
   Mi corazón entona la canción,
   ¡Cuán grande es él! ¡Cuán grande es él!

2. Al recorrer los montes y los valles
   Y ver las bellas flores al pasar;
   Al escuchar el canto de las aves
   Y el murmurar del claro manantial:

   Mi corazón entona la canción,
   ¡Cuán grande es él! ¡Cuán grande es él!
   Mi corazón entona la canción,
   ¡Cuán grande es él! ¡Cuán grande es él!

3. Cuando recuerdo del amor divino
   Que desde el cielo al Salvador envió;
   Aquel Jesús que por salvarme vino
   Y en una cruz sufrió por mí y murió:

   Mi corazón entona la canción,
   ¡Cuán grande es él! ¡Cuán grande es él!
   Mi corazón entona la canción,
   ¡Cuán grande es él! ¡Cuán grande es él!

4. Cuando el Señor me llame a su presencia,
   Al dulce hogar, al cielo de esplendor,
   Le adoraré cantando la grandeza
   De su poder y su infinito amor:

   Mi corazón entona la canción,
   ¡Cuán grande es él! ¡Cuán grande es él!
   Mi corazón entona la canción,
   ¡Cuán grande es él! ¡Cuán grande es él!

9. Cuán poderoso eres, Dios [A-8]

*¡Oh Dios grande y poderoso... grande eres Jehovah
de los Ejércitos! — Jeremías 32:18, 19*

1. Cuán poderoso eres, Dios,
   De eterna majestad;
   Misericordia hallo en ti,
   Tu gloria es sin igual.

2. Cuán bello y dulce eres tú,
   Glorioso Redentor,
   Y tu sabiduría es
   Por siempre, mi Señor.

3. Oh, cuánto temo, buen Señor,
   Tu excelsa majestad.
   Te adoro yo con devoción;
   Me das seguridad.

4. Mi corazón se rinde a ti,
   Precioso Redentor,
   Ya tú me amas, gloria a ti.
   Ahora tuyo soy.

10. ¡Cuán grande es tu nombre!

Oh Jehovah, Señor nuestro, ¡cuán grande es tu nombre en toda la tierra! Has puesto tu gloria sobre los cielos. De la boca de los pequeños y de los que todavía maman has establecido la alabanza frente a tus adversarios, para hacer callar al enemigo y al vengativo. Cuando contemplo tus cielos, obra de tus dedos, la luna y las estrellas que tú has formado, digo: ¿Qué es el hombre, para que de él te acuerdes; y el hijo de hombre, para que lo visites? Lo has hecho un poco menor que los ángeles y le has coronado de gloria y de honra. Le has hecho señorear sobre las obras de tus manos; todo lo has puesto debajo de sus pies: ovejas y vacas, todo ello, y también los animales del campo, las aves de los cielos y los peces del mar: todo cuanto pasa por los senderos del mar. Oh Jehovah, Señor nuestro, ¡cuán grande es tu nombre en toda la tierra!

Salmo 8

11. Grande es Jehovah [A-9]
Grande es Jehovah y digno de suprema alabanza — Salmo 145:3

// Grande es Jehovah y le damos loor
Por su grande poder y su amor.
Grande es Jehovah y su fidelidad,
Y su amor para siempre será.
¡Grande es él y digno de gloria!
Grande es y digno de adoración.
Grande es él. Alcemos la voz Y así proclamar:
¡Grande es Jehovah!
¡Grande es Jehovah! //

¡Grande eres tú y digno de gloria!
¡Grande eres tú y digno de honor.
Grande es él! Levanto mi voz; Elevo mi voz:
¡Grande es Jehovah!
¡Grande es Jehovah!

Michael W. Smith, 1957-; Deborah D. Smith, 1958-; trad. Salomón R. Mussiett.
© Copyright 1982 Meadowgreen Music Co. / Songchannel.
Trad. © copyright 1997 *Editorial Mundo Hispano.* Usado con permiso.

12. A Dios, el Padre celestial [A-10]

Toda buena dádiva y todo don perfecto
proviene... del Padre — Santiago 1:17

A Dios, el Padre celestial, Al Hijo nuestro Redentor,
Al eternal Consolador Unidos todos alabad. Amén.

Thomas Ken, 1637-1711; es traducción.

13. Gloria y honor al Señor tributad [A-11]

Dad a Jehovah, oh familias de pueblos... la gloria
y el poder — 1 Crónicas 16:28

1. Gloria y honor al Señor tributad;
   Niños y ancianos proclamad.
   Que todos canten su loor.
   Grande es el nombre del Señor.

2. Sus maravillas eternas son,
   Y para siempre es su verdad.
   Cielos y tierra pasarán,
   Mas su verdad perdurará.

Isaac Watts, 1674-1748; trad. Salomón R. Mussiett.
Trad. © copyright 1997 *Editorial Mundo Hispano*. Todos los derechos reservados.

14. Pues sólo él es digno [A-12]

¡Digno eres!... porque... con tu sangre has
redimido... toda raza — Apocalipsis 5:9

1. Pues sólo él es digno,
   Pues sólo él es digno,
   Pues sólo él es digno,
   Cristo el Señor.

2. /// Venid, adoremos, ///
   a Cristo el Señor.

3. /// Rindamos honra y gloria, ///
   a Cristo el Señor.

Tradicional; trad. estrofa 1, Juan B. Cabrera; estrofas 2-3, Salomón R. Mussiett.
Trad. estrofas 2 y 3 © copyright 1997 *Editorial Mundo Hispano*.

15. Alma, bendice al Señor [A-13]

¡Alabad a Jehovah! ...su majestad es sobre
tierra y cielos — Salmo 148:1, 13

1. Alma, bendice al Señor, Rey potente de gloria;
   De sus mercedes esté viva en ti la memoria.
   ¡Oh, despertad, Arpa y salterio! Entonad
   Himnos de honor y victoria.

2. Alma, bendice al Señor que a los cielos gobierna,
   Y te conduce paciente con mano paterna;
   Te perdonó, De todo mal te libró,
   Porque su gracia es eterna.

3. Alma, bendice al Señor, de tu vida es la fuente
   Que te creó, y en salud te sostiene clemente;
   Tu defensor En todo trance y dolor;
   Su diestra es omnipotente.

4. Alma, bendice al Señor y su amor infinito;
   Con todo el pueblo de Dios su alabanza repito:
   Dios, mi salud, De todo bien, plenitud.
   ¡Seas por siempre bendito!

Joachim Neander, 1650-1680; trad. Fritz Fliedner

16. Creo en ti [A-14]

Los cielos cuentan la gloria de Dios — Salmo 19:1

1. Cuando miro las estrellas en el cielo por doquier,
   Y miro que parpadean Y me muestran tu poder,
   Cuando veo el sol radiante, la luna y su fulgor,
   Las flores, montes, los valles
   Todo dice que eres Creador.

// Y creo en ti, en ti, sólo en ti, Señor.
Y creo en ti, en ti como el Creador. //

2. Cuando veo las montañas, los lagos y el mar,
   Cuando nace la mañana Con el sol al despuntar,
   Cuando veo un cachorrito y el cuidado maternal,
   Mi corazón repite Que mi Dios es el Creador.

// Y creo en ti, en ti, sólo en ti, Señor.
Y creo en ti, en ti como el Creador. //

17. Padre, Hijo, Espíritu Santo [A-15]

*La gracia del Señor Jesucristo, el amor de Dios y la
comunión del Espíritu Santo — 2 Corintios 13:14*

1. ¡Padre, Padre, tú eres Jehovah!
   ¡Padre, Padre, tú eres Dios!
   ¡Loor a ti! ¡Honor a ti! Te damos gloria hoy.
   ¡Padre, Padre, tú eres Jehovah!
   ¡Padre, Padre, tú eres Dios!

2. ¡Cristo, Cristo, eres el Salvador!
   ¡Cristo, Cristo, eres Señor!
   ¡Loor a ti! ¡Honor a ti! Te damos gloria hoy.
   ¡Cristo, Cristo, eres el Salvador!
   ¡Cristo, Cristo, eres Señor!

3. ¡Santo Espíritu, eres Consolador!
   ¡Santo Espíritu, eres Guiador!
   ¡Loor a ti! ¡Honor a ti! Te damos gloria hoy.
   ¡Santo Espíritu, eres Consolador!
   ¡Santo Espíritu, eres Guiador!

4. ¡Santo, Santo, Santo Padre!
   ¡Santo, Santo, Hijo de Dios!
   ¡Loor a ti! ¡Honor a ti! Te damos gloria hoy.
   ¡Santo, Santo, Santo Espíritu!
   ¡Trinidad Santa, tú eres Dios!

18. Al Rey adorad [A-16]

¡Bendice, alma mía, a Jehovah!...,
¡qué grande eres! — Salmo 104:1

1. Al Rey adorad, grandioso Señor,
   Y con gratitud contad de su amor.
   Anciano de días, el gran Defensor,
   De gloria vestido, le damos loor.

2. Decid de su amor, su gracia cantad;
   Vestido de luz y de majestad.
   Su carro de fuego en las nubes mirad;
   Son negras sus huellas en la tempestad.

3. ¿Quién puede su amor y gracia contar?
   Su amor nos rodea y gracia sin par.
   En valles y en montes alumbra su luz,
   Y con gran dulzura me cuida Jesús.

4. Muy frágiles todos somos aquí,
   Mas por su bondad confiamos, oh sí.
   Su misericordia ¡cuán firme! ¡cuán fiel!
   Creador, Salvador y Amigo es él.

Robert Grant, 1779-1838; trad. S. L. Hernández.

19. Gloria sea a Cristo [A-17]

Oh Señor, ¿quién no temerá y glorificará
tu nombre? — Apocalipsis 15:4

1. Gloria sea a Cristo, De Dios, Hijo es él.
   Gloria, gloria sea a Cristo el Rey,
   A Jesús, Hijo de Dios, A Jesús, de Dios Hijo es él.

2. Gloria sea a Cristo, Quien por mí murió.
   Gloria, gloria sea a Cristo el Rey,
   Al Cordero de Dios, Al Cordero, el Redentor.

3. Gloria sea a Cristo, Quien resucitó.
   Gloria, gloria sea a Cristo el Rey,
   Jesucristo resucitó, Jesucristo resucitó.

Jack Hayford, 1934-; trad. Frank Giraldo.
© Copyright 1981 Rocksmith Music. c/o Trust Music Management, Inc. P.O. Box 22274,
Carmel, CA 93922-0274. Todos los derechos reservados. Usado con permiso.

20. Bendecid a Dios [A-18]

Bendice, oh alma mía, a Jehovah — Salmo 103:1

// Gloria a Dios, Gloria a Dios;
Bendice, alma mía, a Jehovah, tu Dios. //

1. /// Grande es su poder, /// Bendecid a Dios.

// Gloria a Dios, Gloria a Dios;
Bendice, alma mía, a Jehovah, tu Dios. //

2. /// Él murió por mí, /// Bendecid a Dios.

// Gloria a Dios, Gloria a Dios;
Bendice, alma mía, a Jehovah, tu Dios. //

3. /// Cristo es el Señor, /// Bendecid a Dios.

// Gloria a Dios, Gloria a Dios;
Bendice, alma mía, a Jehovah, tu Dios. //

Andraé Crouch, 1945-; trad. Leslie Gómez y Eduardo Steele.
© Copyright 1973 BudJohn Songs Inc. (ASCAP).
Estrofas adicionales © copyright 1990 BudJohn Songs Inc.
Usado con permiso. Trad. © copyright 1997 *Editorial Mundo Hispano*.

21. Bendice, oh alma mía, a Jehovah

Bendice, oh alma mía, a Jehovah. Bendiga todo mi ser su santo nombre. Bendice, oh alma mía, a Jehovah, y no olvides ninguno de sus beneficios. Él es quien perdona todas tus iniquidades, el que sana todas tus dolencias, el que rescata del hoyo tu vida, el que te corona de favores y de misericordia; el que sacia con bien tus anhelos, de modo que te rejuvenezcas como el águila.

Salmo 103:1-5

22. Aleluya, gloria a Cristo [A-19]
Los cielos cuentan la gloria de Dios — Salmo 19:1

1. ¡Aleluya! Gloria a Cristo, poderoso Salvador;
   ¡Aleluya! La victoria por sí solo conquistó.
   Escuchad las alabanzas del gran coro celestial;
   Jesucristo, con su sangre, redención al hombre da.

2. ¡Aleluya! No temamos; con nosotros Cristo está;
   ¡Aleluya! Su presencia gozo y confianza da.
   Recordemos la promesa que Jesús, al ascender,
   Dijo a sus seguidores: "Con vosotros estaré".

3. ¡Aleluya! Rey supremo, Dios eterno, Gran Señor;
   ¡Aleluya! Él es digno; dadle gloria y honor.
   Cantan seres celestiales; hombres, levantad la voz;
   Todo lo creado cante alabanza a nuestro Dios.

William C. Dix, 1837-1898; trad. Esteban Sywulka B.

23. Oh Pastor divino, escucha [A-20]
Jehovah te guiará siempre — Isaías 58:11

1. Oh Pastor divino, escucha De tu pueblo el orar;
   Como ovejas, congregados; Te venimos a buscar.
   Cristo llega, Cristo llega Tu rebaño a apacentar.
   Tu rebaño a apacentar.

2. Guía al triste y fatigado Al aprisco del Señor.
   Cría al tierno corderito A tu lado, buen Pastor,
   Con los pastos, con los pastos De celeste y dulce
      amor. De celeste y dulce amor.

3. ¡Oh Jesús, escucha el ruego Y esta humilde petición!
   Ven a henchir a tu rebaño De sincera devoción.
   Cantaremos, cantaremos Tu benigna protección.
   Tu benigna protección.

William Williams, 1717-1791; es traducción.

24. Grande es tu fidelidad [A-21]

Porque nunca decaen sus misericordias... nuevas
son cada mañana — Lamentaciones 3:22, 23

1. Oh Dios eterno, tu misericordia
   Ni una sombra de duda tendrá;
   Tu compasión y bondad nunca fallan
   Y por los siglos el mismo serás.

¡Oh, tu fidelidad! ¡Oh, tu fidelidad!
Cada momento la veo en mí.
Nada me falta, pues todo provees,
¡Grande, Señor, es tu fidelidad!

2. La noche oscura, el sol y la luna
   Las estaciones del año también,
   Unen su canto cual fieles criaturas,
   Porque eres bueno, por siempre eres fiel.

¡Oh, tu fidelidad! ¡Oh, tu fidelidad!
Cada momento la veo en mí.
Nada me falta, pues todo provees,
¡Grande, Señor, es tu fidelidad!

3. Tú me perdonas, me impartes el gozo
   Tierno me guías por sendas de paz;
   Eres mi fuerza, mi fe, mi reposo,
   Y por los siglos mi Padre serás.

¡Oh, tu fidelidad! ¡Oh, tu fidelidad!
Cada momento la veo en mí.
Nada me falta, pues todo provees,
¡Grande, Señor, es tu fidelidad!

Thomas O. Chisholm, 1866-1960; trad. H. T. Reza.
© Copyright 1923. Renovado 1951 por Hope Publishing Co.
Trad. © copyright 1997 por Hope Publishing Co., Carol Stream, Il 60188.
Todos los derechos reservados. Usado con permiso.

25. ¡Cuán bueno es Dios! [A-22]

¡Alabad a Jehovah, porque es bueno! — 1 Crónicas 16:34

1. /// ¡Cuán bueno es Dios! /// Que a su Hijo envió.

2. /// Cristo me amó; /// Pues por mí murió.

3. /// Yo le amaré; /// Por él viviré.

4. /// Yo le adoraré; /// Gloria le daré.

Tradicional; trad. Salomón R. Mussiett.
Trad. © copyright 1997 *Editorial Mundo Hispano*.

26. Señor, ¿quién entrará? [A-23]

Jehovah, ¿quién habitará en tu tabernáculo? — Salmo 15:1

1. // Señor, ¿quién entrará
   en tu santuario para adorar? //
   // El de manos limpias y un corazón puro,
   y sin vanidades, que sepa amar. //

2. // Señor, yo quiero entrar
   en tu santuario para adorar. //
   // Dame manos limpias y un corazón puro,
   y sin vanidades, enséñame a amar. //

Anónimo.

27. Oh Dios, socorro en el ayer [A-24]

*Señor, tú has sido nuestro refugio de generación
en generación — Salmo 90:1*

1. Oh Dios, socorro en el ayer Y hoy nuestro defensor.
   Ampáranos con tu poder Y tu eternal amor.

2. Antes que toda la creación Hiciera oír tu voz,
   Vivías tú en perfección Eternamente, oh Dios.

3. En ti mil años sombras son, De un pasado ayer;
   Y en ti se encuentra la razón De cuanto tiene ser.

ᕑios, refugio del mortal En tiempos de dolor,
En ti la dicha sin igual Encuentra el pecador.

5. Oh Dios, socorro en el ayer Y hoy nuestro defensor,
   Ampáranos con tu poder Y tu eternal amor.

Isaac Watts, 1674-1748; trad. Adolfo Robleto.
Trad. © copyright 1962 *Casa Bautista de Publicaciones*. Todos los derechos reservados.

28. Jesús es mi Rey soberano [A-25]
A mi Dios cantaré salmos mientras viva — Salmo 104:33

1. Jesús es mi Rey soberano;
   Mi gozo es cantar su loor;
   Es Rey, y me ve cual hermano;
   Es Rey y me imparte su amor.
   Dejando su trono de gloria,
   Me vino a sacar de la escoria,
   Y yo soy feliz, Y yo soy feliz por él.

2. Jesús es mi amigo anhelado,
   Y en sombras o en luz siempre va
   Paciente y humilde a mi lado,
   Y ayuda y consuelo me da.
   Por eso constante lo sigo,
   Porque él es mi Rey y mi amigo,
   Y yo soy feliz, Y yo soy feliz por él.

3. Señor, ¿qué pudiera yo darte
   Por tanta bondad para mí?
   ¿Me basta servirte y amarte?
   ¿Es todo entregarme yo a ti?
   Entonces acepta mi vida,
   Que a ti sólo queda rendida,
   Pues yo soy feliz, Pues yo soy feliz por ti.

Vicente Mendoza, 1875-1955.

29. Es Jesús mi amante guía [A-26]

Jehovah solo le guió — Deuteronomio 32:12

1. Si Jesús es quien me guía,
   ¿Cómo más podré temer?
   ¿Dudaré de su porfía
   Si mi herencia en él tendré?
   Tierna paz en él ya gozo,
   Suyo soy ya por la fe;
   //En la lucha o el reposo
   En su amparo confiaré. //

2. Es Jesús mi amante guía,
   Mi esperanza, mi solaz;
   Mi consuelo es en el día,
   Y en la noche grata paz.
   Mi poder en la flaqueza,
   Mi maná, mi libertad;
   // Es mi amparo en la tristeza;
   Suple mi necesidad. //

3. Es Jesús mi amante guía,
   De mi ser, consolación;
   De lo que antes carecía
   Él me imparte en profusión.
   En la gloria me promete
   Divinal seguridad;
   // Él será mi brazo fuerte,
   Guía por la eternidad. //

Fanny Crosby, 1820-1915; trad. H. T. Reza.
Trad. © copyright 1962 Renovado 1990 Lillenas Publishing Company, (Admin. por
The Copyright Co., Nashville, TN) Todos los derechos reservados. Usado con permiso.
Amparado por la ley de copyright internacional.

30. Jehovah es mi pastor

Jehovah es mi pastor; nada me faltará. En prados de tiernos pastos me hace descansar. Junto a aguas tranquilas me conduce. Confortará mi alma y me guiará por sendas de justicia por amor de su nombre. Aunque ande en valle de sombra de muerte, no temeré mal alguno, porque tú estarás conmigo. Tu vara y tu cayado me infundirán aliento. Preparas mesa delante de mí en presencia de mis adversarios. Unges mi cabeza con aceite; mi copa está rebosando. Ciertamente el bien y la misericordia me seguirán todos los días de mi vida, y en la casa de Jehovah moraré por días sin fin.

Salmo 23

31. Pastoréanos, Jesús amante [B-1]
Como un pastor, apacentará su rebaño — Isaías 40:11

1. Pastoréanos, Jesús amante,
   Cuida, ¡oh Señor!, tu grey;
   Tu sustento placentero dale
   Al redil, y justa ley.
   Alta ciencia, Providencia,
   Tuyas para nuestro bien;
   Bendecido, Rey ungido,
   A santificarnos ven.

2. Tu misión divina es a tus hijos
   Dar salud y santidad;
   A pesar de ser tan pecadores,
   No nos has de desechar.
   Comunicas Dotes ricas
   Al que implora tu perdón;
   Salvadora Luz, que mora
   En el nuevo corazón.

3. Tú prometes recibirnos,
   Y guiarnos en amor;
   Con tu gracia salvadora
   Nos ofreces tu perdón.
   Nos levantas, Nos transformas,
   Y nos libras de pesar;
   Y las puertas De los cielos
   Tú nos abres para entrar.

4. Como ovejas acudimos
   A rendirte adoración;
   Oye nuestras peticiones
   Y concédenos perdón.
   Te alabamos Y adoramos
   Como el Rey de la creación;
   Nuestras almas, Te entregamos;
   Vive en nuestro corazón.

Dorothy A. Thrupp, 1779-1847; trad. estrofas 1, 2, T. M. Westrup;
estrofas 3, 4, Salomón R. Mussiett.
Trad. estrofas 3, 4 © copyright 1997 *Editorial Mundo Hispano*.

32. Día en día [B-2]

¡Bendito sea el Señor! Día tras día
lleva nuestras cargas — Salmo 68:19

1. Oh mi Dios, yo encuentro cada día
   Tu poder en todo sinsabor;
   Por la fe en tu sabiduría
   Libre soy de pena y temor.
   Tu bondad, Señor, es infinita,
   Tú me das aquello que es mejor;
   Por tu amor alívianse mis quejas
   Y hallo paz en el dolor.

2. Cerca está tu brazo cada día
   Y por él recibo tu favor,
   ¡Oh Señor, mi alma en ti confía,
   Eres tú mi gran Consolador!
   Protección prometes a tus hijos
   Porque son tesoro para ti;
   Hallo en ti constante regocijo
   Sé que tú velas por mí.

3. Tu poder me ayuda cada día
   A vencer en la tribulación;
   Tengo fe, pues tu promesa es mía;
   Gozaré de tu consolación.
   Si el afán y la aflicción me llegan,
   Estará tu mano junto a mí.
   Y después, en la postrera siega,
   Moraré ya junto a ti.

Caroline V. Sandell-Berg, 1832-1903; trad. al castellano, Samuel O. Libert.

33. Enséñanos a contar nuestros días

Enséñanos a contar nuestros días, de tal manera que traigamos al corazón sabiduría. Por la mañana sácianos de tu misericordia, y cantaremos y nos alegraremos todos nuestros días.

Salmo 90:12, 14

34. En momentos así [B-3]
A ti, oh Jehovah, levantaré mi alma — Salmo 25:1

En momentos así levanto mi voz,
levanto mi canto a Cristo.
En momentos así levanto mi ser,
levanto mi alma a él.
Cuánto te amo, Dios, cuánto te amo, Dios;
Cuánto te amo, Dios, te amo.

David Graham, 1948; es traducción.

35. Yo celebraré [B-4]
A ti cantaré un cántico nuevo — Salmo 144:9

// Yo celebraré, cantaré a él, cantaré un nuevo canto. //
Alabaré a Jehovah porque él ha vencido con poder.
Alabaré a Jehovah porque él ha vencido con poder.
// Yo celebraré, cantaré a él, cantaré un nuevo canto. //

Linda Duvall, 1941-; es traducción.

36. Eres mi protector [B-5]

Tú eres mi refugio; me guardarás de la angustia — Salmo 32:7

// Eres mi protector.
Llenas mi corazón con cánticos de liberación.
De angustia me guardarás. Confiaré en ti.
Confiaré en ti;
Débil soy, mas fuerte seré con poder del Señor. //

Eres mi protector.
Llenas mi corazón con cánticos de liberación.
De angustia me guardarás. Confiaré en ti.

Michael Ledner, 1952-; es traducción.
© Copyright 1981 MARANATHA! MUSIC (Admin. por MARANATHA! MUSIC c/o
The Copyright Co., Nashville, TN). Todos los derechos reservados. Amparado por
la ley de copyright internacional. Usado con permiso.

37. Yo te exalto [B-6]

¡Seas exaltado sobre los cielos, oh Dios;
y sobre toda la tierra, tu gloria! — Salmo 108:5

Yo te exalto, Dios, mi Padre;
yo te exalto, Dios, mi Rey.
Eres sublime sobre la tierra
y te adoro, oh mi Dios.

Pete Sánchez, Jr., 1948-; es traducción.
© Copyright 1977 Pete Sánchez, Jr. ASCAP. Admin. por Gabriel Music. Inc., P.O. Box
840999, Houston, TX 77284-0999 USA. Usado con permiso.

38. Señor, tú me llamas [B-7]

Lo llamó desde en medio de la zarza — Éxodo 3:4

1. Señor, tú me llamas por mi nombre Desde lejos;
Por mi nombre Cada día tú me llamas.
Señor, tú me ofreces una vida Santa y limpia;
Una vida Sin pecado, sin maldad.

Señor, nada tengo para darte;
Solamente te ofrezco mi vida para que la uses tú.
Señor, hazme hoy un siervo útil
Que anuncie el mensaje, El mensaje de la cruz.

2. Señor, tú me llamas por mi nombre Desde lejos,
   Por mi nombre Cada día tú me llamas.
   Señor, yo acudo a tu llamado a Cada instante,
   Pues mi gozo Es servirte más y más.

Señor, nada tengo para darte;
Solamente te ofrezco mi vida para que la uses tú.
Señor, hazme hoy un siervo útil
Que anuncie el mensaje, El mensaje de la cruz.

Señor, tú me llamas por mi nombre Desde lejos;
Por mi nombre Cada día tú me llamas.

Rubén Giménez, 1953-.

39. Te alabaré, Señor [B-8]
Te alabaré, oh Jehovah, con todo mi corazón — Salmo 9:1

1. Te alabaré, Señor, con todo mi corazón,
   Con todo mi corazón; te alabaré, Señor.
   Contaré todas tus maravillas,
   Todas tus maravillas; te alabaré, Señor.

2. Me alegraré en ti, y me regocijaré,
   Y me regocijaré; te alabaré, Señor.
   Cantaré a tu nombre, Oh, Altísimo;
   Oh, Altísimo, te alabaré, Señor.

   Te alabaré, Señor; te alabaré, Señor.

Anónimo.

40. Dios está aquí [B-9]
¿Acaso no lleno yo el cielo y la tierra? — Jeremías 23:24

Dios está aquí, tan cierto como el aire que respiro,
Tan cierto como en la mañana se levanta el sol,
Tan cierto como que le canto y me puede oír.

Nestor Raúl Galeano, 1955-.

41. Señor y mi Dios, glorioso es tu nombre [B-10]

Oh Jehovah... ¡cuán grande es tu nombre en toda la tierra! — Salmo 8:1

// Señor y mi Dios, glorioso es
tu nombre en toda la tierra. //
// Señor, te alabaré.
Señor, te glorificaré,
Tú eres Príncipe de Paz.
Señor, Omnipotente. //

Michael W. Smith, 1957-; trad. Russell Herrington.
(Michael W. Smith) © Copyright 1981 Meadowgreen Music Co. Songchannel.
Trad. © copyright 1997 *Editorial Mundo Hispano.* Todos los derechos reservados.
Usado con permiso.

42. En mi vida gloria te doy [B-11]

*Para que en todas las cosas Dios sea glorificado
por medio de Jesucristo — 1 Pedro 4:11*

1. En mi vida gloria te doy, gloria te doy.
   En mi vida gloria te doy, Señor.

2. En mi canto gloria te doy, gloria te doy.
   En mi vida gloria te doy, Señor.

3. En tu iglesia gloria te doy, gloria te doy.
   En mi vida gloria te doy, Señor.

Bob Kilpatrick, 1952-; es traducción.
© Copyright 1978 Bob Kilpatrick Music, P.O. Box 2383, Fair Oaks, CA 95628.
Usado con permiso.

43. Quiero alabarte [B-12]

¡Dad gracias a Jehovah! ¡Invocad su nombre! — 1 Crónicas 16:8

1. Quiero alabarte más y más aún;
   quiero alabarte, más y más aún;
   Buscar tu voluntad, tu gracia conocer,
   quiero alabarte.

MELODÍA	CONTRAMELODÍA

2. Quiero amarte
   más y más aún;
   quiero alabarte,
   más y más aún;
   Buscar tu voluntad,
   tu gracia conocer,
   quiero alabarte.

   Las aves del cielo
   cantan para ti;
   Las bestias del campo
   reflejan tu poder;
   Quiero cantar,
   Quiero levantar
   a ti mi canto.

3. Quiero servirte
   más y más aún;
   quiero alabarte,
   más y más aún;
   Buscar tu voluntad,
   tu gracia conocer,
   quiero alabarte.
   Quiero alabarte.

   Las aves del cielo
   cantan para ti;
   Las bestias del campo
   reflejan tu poder;
   Quiero cantar,
   Quiero levantar
   a ti mi canto.

Sam O. Scott, 1954-, y Randy Thomas, 1954-; es traducción.
© Copyright 1980 BudJohn Songs, Inc. (ASCAP) (Admin. por EMI Christian Music Group, Brentwood, TN). Todos los derechos reservados. Usado con permiso.

44. El gozo del Señor [B-13]

No os entristezcáis, porque el gozo de
Jehovah es vuestra fortaleza — Nehemías 8:10

1. // El gozo del Señor mi fortaleza es, //
   Su gozo sin medida él me da.

2. // Si tienes ese gozo puedes tú cantar, //
   Su gozo sin medida él me da.

3. // Me da del agua viva; sed no tengo más; //
   Su gozo sin medida él me da.

Alliene G. Vale, 1918-; es traducción.
© Copyright 1971 His Eye Music / The Joy of the Lord Music / Cherry Blossom Music Pub. Todos los derechos reservados. Usado con permiso.

45. Majestad [B-14]

Porque al recibir de parte de Dios
Padre honra y gloria — 2 Pedro 1:17

¡Majestad! ¡Gloria a su majestad!
Dad a Cristo toda gloria, honra y loor;
¡Majestad! Y autoridad real
salen de él, con gran poder. ¡Viva el gran Rey!
Alabad, glorificad su santo nombre;
Exaltad, magnificad a aquél que es Señor.
¡Majestad! ¡Gloria a su majestad!
El que murió, resucitó; hoy es el Rey.

Jack Hayford, 1934-; trad. Jorge A. Lockward.
© Copyright 1981 Rocksmith Music c/o Trust Music Management, Inc. P.O. Box 22274,
Carmel, CA 93922-0274. Todos los derechos reservados. Usado con permiso.

46. Padre Dios, te alabo y te bendigo [B-15]

Bueno es alabar a Jehovah, cantar salmos a tu nombre — Salmo 92:1

Padre Dios, te alabo y te bendigo;
Padre Dios, mi corazón humilde alzo a ti;
Por tu gran poder,
y tu amor me asombro, me asombro.
Ante ti estoy, te alabo, Padre Dios.

Jack Hayford, 1934-; es traducción.
© Copyright 1973 Rocksmith Music c/o Trust Music Management, Inc. P.O. Box 22274,
Carmel, CA 93922-0274. Todos los derechos reservados. Usado con permiso.

47. La majestad y gloria del Señor [B-16]

Oh Jehovah, Señor nuestro, ¡cuán grande es tu
nombre en toda la tierra! — Salmo 8:9

¡Aleluya, Aleluya!
La majestad y gloria del Señor.
¡Aleluya, Aleluya!
La majestad y gloria del Señor.
¡Aleluya, Aleluya, Aleluya, Aleluya!
¡Aleluya, Aleluya, Aleluya!

Linda Lee Johnson, 1947-; trad. Salomón R. Mussiett.
© Copyright 1986 por Norman Clayton Publishing Co. y WORD MUSIC (div. de WORD,
INC.). Trad. © copyright 1997 *Editorial Mundo Hispano*. Todos los derechos reservados.
Usado con permiso.

48. Hay momentos [B-17]

Pienso que no cabrían ni aun en el mundo los
libros que se habrían de escribir — Juan 21:25

// Hay momentos que las palabras no alcanzan
Para decirte lo que siento, Bendito Salvador. //
Yo te agradezco Por todo lo que has hecho,
Por todo lo que haces, Por todo lo que harás, Señor.
Yo te agradezco Por todo lo que has hecho,
Por todo lo que haces, Por todo lo que harás.

Anónimo.

49. Él es bello [B-18]

Porque dulce es tu voz — Cantares 2:14

Él es bello; Él es santo. Dio su vida por mi salvación.
Él es tierno, compasivo, Victorioso Salvador.

50. ¡Al mundo paz, nació Jesús! [B-19]

¡Cantad alegres a Jehovah, toda la tierra! — Salmo 98:4

1. ¡Al mundo paz, nació Jesús!
   Nació ya nuestro Rey;
   El corazón ya tiene luz,
   //Y paz su santa grey, //
   Y paz, y paz su santa grey.

2. ¡Al mundo paz, el Salvador
   En tierra reinará!
   Ya es feliz el pecador,
   // Jesús perdón le da, //
   Jesús, Jesús perdón le da.

3. ¡Por tan precioso don de Dios
   Te damos gracias hoy!
   Pues Dios nos da con gran amor:
   //El don de nuestro Dios, //
   El don, el don de nuestro Dios.

4. Al mundo él gobernará
Con gracia y con poder;
A las naciones mostrará
// Su amor y su poder, //
Su amor, su amor y su poder.

Isaac Watts, 1674-1748; es traducción y adaptación.

51. Venid, fieles todos [B-20]
Cantad a Jehovah, vosotros sus fieles — Salmo 30:4

1. Venid, fieles todos, a Belén marchemos:
De gozo triunfantes, henchidos de amor.
Y al Rey de los cielos contemplar podremos:

/// Venid, adoremos, /// a Cristo el Señor.

2. El que es hijo eterno del eterno Padre,
Y Dios verdadero que el mundo creó,
Al seno humilde vino de una madre:

/// Venid, adoremos, /// a Cristo el Señor.

3. En pobre pesebre yace reclinado.
Al hombre ofrece eternal salvación,
El santo Mesías, Verbo humanado:

/// Venid, adoremos, /// a Cristo el Señor.

4. Cantad jubilosas, célicas criaturas:
Resuene el cielo con vuestra canción:
Al Dios bondadoso ¡gloria en las alturas!

/// Venid, adoremos, /// a Cristo el Señor.

Himno latino; atribuido a John Francis Wade, *c.* 1711-1786; trad. Juan B. Cabrera.

52. Noche de paz [B-21]
Y dio a luz a su hijo primogénito — Lucas 2:7

1. ¡Noche de paz, noche de amor!
Todo duerme en derredor,
Entre los astros que esparcen su luz,
Bella, anunciando al niñito Jesús,
// Brilla la estrella de paz. //

2. ¡Noche de paz, noche de amor!
   Oye humilde el fiel pastor,
   Coros celestes que anuncian salud,
   Gracias y glorias en gran plenitud,
   // Por nuestro buen Redentor. //

3. ¡Noche de paz, noche de amor!
   Ved qué bello resplandor
   Luce en el rostro del niño Jesús,
   En el pesebre, del mundo la luz,
   // Astro de eterno fulgor. //

4. ¡Noche de paz, noche de amor!
   En la faz del Señor
   Brilla un límpido rayo de luz.
   Como brota después de su cruz.
   // ¡Nace el Redentor! //

Joseph Mohr, 1792-1848; trad. estrofas 1-3, anónimo; estrofa 4, Federico J. Pagura.

53. Se oye un son en alta esfera [B-22]
El ángel les dijo: "...Os ha nacido un Salvador" — Lucas 2:10, 11

1. Se oye un son en alta esfera:
   "¡En los cielos gloria a Dios!
   ¡Al mortal paz en la tierra!"
   Canta la celeste voz.
   Con los cielos alabemos,
   Al eterno Rey cantemos,
   A Jesús, que es nuestro bien,
   Con el coro de Belén;
   Canta la celeste voz:
   "¡En los cielos gloria a Dios!"

2. El Señor de los señores,
   El Ungido celestial,
   A salvar los pecadores
   Vino al mundo terrenal.

Gloria al Verbo encarnado,
En humanidad velado;
Gloria al Santo de Israel,
Cuyo nombre es Emanuel;
Canta la celeste voz:
"¡En los cielos gloria a Dios!"

3. Príncipe de paz eterna,
   Gloria a ti, Señor Jesús;
   Entregando el alma tierna,
   Tú nos traes vida y luz.
   Has tu majestad dejado,
   Y buscarnos te has dignado;
   Para darnos el vivir,
   A la muerte quieres ir.
   Canta la celeste voz:
   "¡En los cielos gloria a Dios!"

Charles Wesley, 1707-1788, trad. Federico Fliedner.

54. Ángeles cantando están [B-23]

Apareció con el ángel una multitud... y decían:
"Gloria a Dios" — Lucas 2:13, 14

1. Ángeles cantando están Tan dulcísima canción;
   Las montañas su eco dan Como fiel contestación.
   // Gloria a Dios en lo alto. //

2. Los pastores sin cesar Sus loores dan a Dios;
   Cuán glorioso es el cantar De su melodiosa voz.
   // Gloria a Dios en lo alto. //

3. Hoy anuncian con fervor Que ha nacido el Salvador;
   Los mortales gozarán Paz y buena voluntad.
   // Gloria a Dios en lo alto. //

4. ¡Oh! venid pronto a Belén Para contemplar con fe
   A Jesús, autor del bien, Al recién nacido Rey.
   // Gloria a Dios en lo alto. //

Villancico francés, trad. George P. Simmonds.

55. Allá en el pesebre [B-24]

Y dio a luz a su hijo primogénito... y le
acostó en un pesebre — Lucas 2:7

1. Allá en el pesebre, do nace Jesús,
   La cuna de paja nos vierte gran luz;
   Estrellas lejanas del cielo al mirar
   Se inclinan gozosas su lumbre a prestar.

2. Pastores del campo, teniendo temor,
   Cercados de luz y de gran resplandor,
   Acuden aprisa buscando a Jesús,
   Nacido en pesebre, del mundo la luz.

3. Extraño bullicio despierta al Señor,
   Mas no llora el Niño, pues es puro amor;
   ¡Oh vélanos, Cristo Jesús, sin cesar!
   Y así bien felices siempre hemos de estar.

Anónimo; trad. George P. Simmonds.

56. El anuncio del ángel

El ángel les dijo: "No temáis, porque he aquí os
doy buenas nuevas de gran gozo, que será para todo
el pueblo: que hoy, en la ciudad de David, os ha nacido un Salvador, que es Cristo el Señor. Y esto os
servirá de señal: Hallaréis al niño envuelto en
pañales y acostado en un pesebre".

Lucas 2:10-12

57. Niño celestial [B-25]

Los cielos cuentan la gloria de Dios — Salmo 19:1

1. Niño celestial, Mediador de Dios,
   Amor, Cristo A todos mostró.

Venga, venga A la humanidad
El gozo que infunde amor; Venga Navidad.

2. Niños vagan, No hay donde llegar.
   Dolor sienten, Rechazados son.

Venga, venga A la humanidad
El gozo que infunde amor; Venga Navidad.

3. Niño grande Con memorias mil,
   Triste, solo, Lágrimas sin fin.

Venga, venga A la humanidad
El gozo que infunde amor; Venga Navidad.

4. Niño pobre, Siempre quiere más.
   Sabio, fiel es, Gozo en su faz.

Venga, venga A la humanidad
El gozo que infunde amor; Venga Navidad.

5. Niño de paz, De Dios gran señal
   La estrella que Brilla del umbral.

Venga, venga A la humanidad
El gozo que infunde amor; Venga Navidad.

Shirley Erena Murray; trad. Regino Ramos, Jr.
© Copyright 1994 Hope Publishing Company, Carol Stream, Il 60188.
Trad. © copyright 1997 Hope Publishing Company, Carol Stream, Il 60188.
Todos los derechos reservados. Usado con permiso.

58. Dime la historia de Cristo [B-26]
*Para que conozcas bien la verdad de las cosas en
las cuales has sido instruido — Lucas 1:4*

1. Dime la historia de Cristo,
   Grábala en mi corazón;
   Dime la historia preciosa;
   ¡Cuán melodioso es su son!
   Di como cuando nacía
   Angeles con dulce voz
   "Paz en la tierra", cantaron,
   "Y en las alturas gloria a Dios".

Dime la historia de Cristo,
Grábala en mi corazón;
Dime la historia preciosa;
¡Cuán melodioso es su son!

2. Dime del tiempo en que a solas
   En el desierto se halló;
   De Satanás fue tentado
   Mas con poder lo venció.
   Dime de todas sus obras,
   De su tristeza y dolor,
   Pues sin hogar, despreciado,
   Anduvo nuestro Salvador.

Dime la historia de Cristo,
Grábala en mi corazón;
Dime la historia preciosa;
¡Cuán melodioso es su son!

3. Di cuando crucificado,
   Él por nosotros murió;
   Di del sepulcro sellado,
   Di como resucitó.
   En esa historia tan tierna
   Miro las pruebas de amor,
   Mi redención ha comprado
   El bondadoso Salvador.

Dime la historia de Cristo,
Grábala en mi corazón;
Dime la historia preciosa;
¡Cuán melodioso es su son!

Fanny J. Crosby, 1820-1915; trad. George P. Simmonds.
Trad. © copyright 1967, renovado por George P. Simmonds.
Todos los derechos reservados. Usado con permiso.

59. Emanuel [B-27]

Y llamarán su nombre Emanuel... Dios con nosotros — Mateo 1:23

Dios nos amó, a su Hijo dio,
Y lo nombró nuestro Emanuel.
La profecía fue en él cumplida;
Dios con nosotros, nuestro Emanuel.

Bob McGee 1944-; trad., Comité de *Celebremos su Gloria.*
© Copyright 1976 C. A. Music. (div. de C. A. Records, Inc.)
Todos los derechos reservados. Usado con permiso. ASCAP.

60. ¡Oh, cuánto me ama! [B-28]

Yo os he amado; permaneced en mi amor — Juan 15:9

1. ¡Oh, cuánto me ama a mí!
   ¡Oh, cuánto te ama a ti!
   Su vida dio por ti y por mí.
   Oh, cuánto me ama, Oh, cuánto te ama,
   ¡Cuánto nos ama el Señor!

2. Murió en la cruz el Señor;
   Su gran amor demostró,
   Nos libertó, esperanza nos dio.
   Oh, cuánto me ama, Oh, cuánto te ama,
   ¡Cuánto nos ama el Señor!

Kurt Kaiser, 1934-; trad. Salomón Mussiett y Ed Steele.
© Copyright 1975, trad. de estrofa 1 © copyright 1982 y estrofa 2
© copyright 1997 WORD MUSIC (una div. de WORD MUSIC, INC. ASCAP)
65 Music Square West, Nashville, TN 37203. Todos los derechos reservados.
Usado con permiso.

61. Años mi alma en vanidad vivió [C-1]

Cuando llegaron al lugar que se llama de la Calavera,
le crucificaron — Lucas 23:33

1. Años mi alma en vanidad vivió,
   Ignorando a quien por mí sufrió,
   Oh, que en el Calvario sucumbió, El Salvador.

   Mi alma allí divina gracia halló;
   Dios allí perdón y paz me dio;
   Del pecado allí me libertó El Salvador.

2. Por la Biblia miro que pequé,
   Y su ley divina quebranté;
   Mi alma entonces contempló con fe Al Salvador.

Mi alma allí divina gracia halló;
Dios allí perdón y paz me dio;
Del pecado allí me libertó El Salvador.

3. En la cruz su amor Dios demostró
   Y de gracia al hombre revistió
   Cuando por nosotros se entregó El Salvador.

Mi alma allí divina gracia halló;
Dios allí perdón y paz me dio;
Del pecado allí me libertó El Salvador.

4. Toda mi alma a Cristo ya entregué,
   Hoy le quiero y sirvo como a Rey,
   Por los siglos siempre cantaré Al Salvador.

Mi alma allí divina gracia halló;
Dios allí perdón y paz me dio;
Del pecado allí me libertó El Salvador.

William R. Newell, 1868-1956; trad. George P. Simmonds.

62. En la cruz [C-2]
Siendo aún pecadores, Cristo murió por nosotros — Romanos 5:8

1. Herido, triste, a Jesús,
   Mostréle mi dolor;
   Perdido, errante, vi su luz,
   Bendíjome en su amor.

En la cruz, en la cruz, do primero vi la luz,
Y las manchas de mi alma yo lavé;
Fue allí por fe do vi a Jesús,
Y siempre feliz con él seré.

2. Sobre una cruz mi buen Jesús,
   Su sangre derramó
   Por este pobre pecador,
   A quien así salvó.

En la cruz, en la cruz, do primero vi la luz,
Y las manchas de mi alma yo lavé;
Fue allí por fe do vi a Jesús,
Y siempre feliz con él seré.

3. Venció a la muerte con poder
   Y el Padre le exaltó;
   Confiar en él es mi placer.
   Morir no temo yo.

En la cruz, en la cruz, do primero vi la luz,
Y las manchas de mi alma yo lavé;
Fue allí por fe do vi a Jesús,
Y siempre feliz con él seré.

4. Aunque él se fue, conmigo está
   El gran Consolador;
   Por él entrada tengo ya
   Al reino del Señor.

En la cruz, en la cruz, do primero vi la luz,
Y las manchas de mi alma yo lavé;
Fue allí por fe do vi a Jesús,
Y siempre feliz con él seré.

5. Vivir en Cristo me da paz;
   Con él habitaré;
   Ya suyo soy, y de hoy en más
   A nadie temeré.

En la cruz, en la cruz, do primero vi la luz,
Y las manchas de mi alma yo lavé;
Fue allí por fe do vi a Jesús,
Y siempre feliz con él seré.

Isaac Watts, 1674-1748; coro, Ralph E. Hudson, 1843-1901; trad. Pedro Grado.

63. Junto a la cruz [C-3]

Habiendo hecho la paz mediante la
sangre de su cruz — Colosenses 1:20

1. Junto a la cruz do murió el Salvador,
   Por mis pecados clamaba al Señor,
   ¡Qué maravilla! Jesús me salvó.
   ¡A su nombre gloria!

      ¡A su nombre gloria! ¡A su nombre gloria!
      ¡Qué maravilla! Jesús me salvó.
      ¡A su nombre gloria!

2. Junto a la cruz recibí el perdón,
   Limpio en su sangre está mi corazón;
   Mi alma está llena de gozo y paz:
   ¡A su nombre gloria!

      ¡A su nombre gloria! ¡A su nombre gloria!
      ¡Qué maravilla! Jesús me salvó.
      ¡A su nombre gloria!

3. Junto a la cruz hay un manantial
   De agua de vida cual puro cristal;
   Fue apagada por Cristo mi sed:
   ¡A su nombre gloria!

      ¡A su nombre gloria! ¡A su nombre gloria!
      ¡Qué maravilla! Jesús me salvó.
      ¡A su nombre gloria!

4. Ven sin tardar a la cruz del Señor;
   Allí te espera Jesús, Salvador.
   Allí de Dios hallarás el amor:
   ¡A su nombre gloria!

      ¡A su nombre gloria! ¡A su nombre gloria!
      ¡Qué maravilla! Jesús me salvó.
      ¡A su nombre gloria!

Elisha A. Hoffman, 1839-1929; trad. Vicente Mendoza.

64. En el monte Calvario [C-4]

*Y él salió llevando su cruz hacia el lugar que
se llama de la Calavera — Juan 19:17*

1. En el monte Calvario se vio una cruz,
   Emblema de afrenta y dolor,
   Y yo quiero esa cruz do murió mi Jesús
   Por salvar al más vil pecador.

   > ¡Oh!, yo siempre amaré esa cruz,
   > En sus triunfos mi gloria será;
   > Y algún día en vez de una cruz,
   > Mi corona Jesús me dará.

2. Aunque el mundo desprecie la cruz de Jesús,
   Para mí tiene suma atracción,
   Porque en ella llevó el Cordero de Dios
   Mi pecado y mi condenación.

   > ¡Oh!, yo siempre amaré esa cruz,
   > En sus triunfos mi gloria será;
   > Y algún día en vez de una cruz,
   > Mi corona Jesús me dará.

3. En la cruz do su sangre Jesús derramó
   Hermosura contemplo en visión,
   Pues en ella el Cordero inmolado murió,
   Para darme pureza y perdón.

   > ¡Oh!, yo siempre amaré esa cruz,
   > En sus triunfos mi gloria será;
   > Y algún día en vez de una cruz,
   > Mi corona Jesús me dará.

4. Yo seré siempre fiel a la cruz de Jesús,
   Sus desprecios con él sufriré;
   Y algún día feliz con los santos en luz,
   Para siempre su gloria tendré.

   > ¡Oh!, yo siempre amaré esa cruz,
   > En sus triunfos mi gloria será;
   > Y algún día en vez de una cruz,
   > Mi corona Jesús me dará.

George Bennard, 1873-1960; trad. S. D. Athans.

65. Hay una fuente sin igual [C-5]

*En aquel día habrá un manantial... a fin de limpiar
el pecado y la impureza — Zacarías 13:1*

1. Hay una fuente sin igual
   De sangre de Emanuel,
   En donde lava cada cual
   // Las manchas que hay en él. //
   En donde lava cada cual
   Las manchas que hay en él.

2. El malhechor se convirtió
   Clavado en una cruz;
   Él vio la fuente y se lavó,
   // Creyendo en Jesús. //
   Él vio la fuente y se lavó,
   Creyendo en Jesús.

3. Y yo también mi pobre ser
   Allí logré lavar;
   La gloria de su gran poder
   // Me gozo en ensalzar. //
   La gloria de su gran poder
   Me gozo en ensalzar.

4. ¡Eterna fuente carmesí!
   ¡Raudal de puro amor!
   Se lavará por siempre en ti
   // El pueblo del Señor. //
   Se lavará por siempre en ti
   El pueblo del Señor.

William Cowper, 1731-1800; trad. M. N. Hutchinson.

66. La cruz excelsa al contemplar [C-6]

*Pero lejos esté de mí el gloriarme sino en la
cruz de... Jesucristo — Gálatas 6:14*

1. La cruz excelsa al comtemplar
   Do Cristo allí por mí murió,
   Nada se puede comparar
   A las riquezas de su amor.

2. Yo no me quiero, Dios, gloriar
   Mas que en la muerte del Señor.
   Lo que más pueda ambicionar
   Lo doy gozoso por su amor.

3. Ved en su rostro, manos, pies,
   Las marcas vivas del dolor;
   Es imposible comprender
   Tal sufrimiento y tanto amor.

4. El mundo entero no será
   Dádiva digna de ofrecer.
   Amor tan grande, sin igual,
   En cambio exige todo el ser.

Isaac Watts, 1674-1748; trad. W. T. T. Millham.

67. Yo no hallo ningún delito en él

Entonces Pilato tomó a Jesús y le azotó. Los soldados entretejieron una corona de espinas y se la pusieron sobre la cabeza. Le vistieron con un manto de púrpura, y venían hacia él y le decían: "¡Viva el rey de los judíos!" Y le daban de bofetadas. Pilato salió otra vez y les dijo: "He aquí, os lo traigo fuera, para que sepáis que no hallo ningún delito en él". Entonces Jesús salió llevando la corona de espinas y el manto de púrpura. Y Pilato les dijo: "¡He aquí el hombre!" Cuando le vieron los principales sacerdotes y los guardias, gritaron diciendo: "¡Crucifícale! ¡Crucifícale!" Les dijo Pilato: "Tomadlo vosotros y crucificadle, porque yo no hallo ningún delito en él".

Juan 19:1-6

68. Hay una fuente donde el pecador [C-7]

Ciertamente contigo está el manantial de la vida;
en tu luz veremos la luz — Salmo 36:9

Hay una fuente donde el pecador
Puede lavar las manchas del pecar.
Libre de cargas, todos pueden ser;
Hay poder en mi Jesús
   quien por mí murió en la cruz.

Oliver Cooke, 1873-1945; trad. Salomón R. Mussiett. Trad. © copyright 1996 *Casa Bautista de Publicaciones*. Todos los derechos reservados

69. ¡Oh qué inmenso amor! [C-8]

En esto consiste el amor... en que Dios envió
a su Hijo unigénito — 1 Juan 4:10

¡Oh qué amor! ¡Qué inmenso amor!
El de mi Salvador.
¡Oh qué amor! ¡Qué inmenso amor!
El de mi Salvador.
Dios desde el cielo al Salvador
Mandó a morir por mí.
Por ti murió, por mí murió;
Dio sangre carmesí.

Jaime Redín, 1926-; trad. Bob Tipton.
© Copyright 1960 Eugene Jordan. Usado con permiso. Trad. © copyright 1997
Editorial Mundo Hispano. Todos los derechos reservados.

70. ¡Cómo en su sangre pudo haber! [C-9]

Para mostrar... las superabundantes riquezas de su
gracia... en Cristo Jesús — Efesios 2:7

1. ¡Cómo en su sangre pudo haber
   Tanta ventura para mí
   Si yo sus penas agravé
   Y de su muerte causa fuí!
   ¿Hay maravilla cual su amor?
   ¡Morir por mí con tal dolor!

   ¿Hay maravilla cual su amor?
   ¡Morir por mí con tal dolor!

2. Nada retiene al descender,
   Excepto su amor y su deidad;
   Todo lo entrega: gloria, prez,
   Corona, trono, majestad.
   Ver redimidos, es su afán,
   Los tristes hijos de Adán.

   ¿Hay maravilla cual su amor?
   ¡Morir por mí con tal dolor!

3. Mi alma, atada en la prisión,
   Anhela redención y paz.
   De pronto vierte sobre mí
   La luz radiante de su faz.
   ¡Mis cadenas cayeron y vi
   Mi libertad y te seguí!

¿Hay maravilla cual su amor?
¡Morir por mí con tal dolor!

4. ¡Jesús es mío! Vivo en él;
   No temo ya condenación.
   Él es mi todo: paz, salud,
   Justicia, luz y redención.
   Me guarda el trono eternal,
   Por él, corona celestial.

¿Hay maravilla cual su amor?
¡Morir por mí con tal dolor!

Charles Wesley, 1707-1788; trad. M. San León.

71. El Señor resucitó [C-10]
Cristo sí ha resucitado de entre los muertos — 1 Corintios 15:20

1. El Señor resucitó ¡Aleluya!
   Muerte y tumba él venció; ¡Aleluya!
   Con su fuerza y su virtud ¡Aleluya!
   Cautivó a la esclavitud. ¡Aleluya!

2. Jesucristo se humilló, ¡Aleluya!
   Vencedor se levantó; ¡Aleluya!
   Cante hoy la cristiandad ¡Aleluya!
   Su gloriosa majestad. ¡Aleluya!

3. Cristo que la cruz sufrió, ¡Aleluya!
   Y en desolación se vio; ¡Aleluya!
   Hoy en gloria celestial ¡Aleluya!
   Reina vivo e inmortal. ¡Aleluya!

4. Hoy al lado está de Dios, ¡Aleluya!
   Donde escucha nuestra voz; ¡Aleluya!
   Por nosotros rogará, ¡Aleluya!
   Con su amor nos salvará. ¡Aleluya!

Charles Wesley, 1707-1788; trad. Juan B. Cabrera.

72. La tumba le encerró [C-11]
*Puesto que era imposible que él quedara
detenido bajo su dominio — Hechos 2:24*

1. La tumba le encerró, Cristo, mi Cristo;
   El alba allí esperó, Cristo el Señor.

Cristo la tumba venció, Y con gran poder resucitó;
De sepulcro y muerte Cristo es vencedor,
Vive para siempre nuestro Salvador.
¡Gloria a Dios! ¡Gloria a Dios! El Señor resucitó.

2. De guardas escapó, Cristo, mi Cristo;
   El sello destruyó, Cristo el Señor.

Cristo la tumba venció, Y con gran poder resucitó;
De sepulcro y muerte Cristo es vencedor,
Vive para siempre nuestro Salvador.
¡Gloria a Dios! ¡Gloria a Dios! El Señor resucitó.

3. La muerte dominó Cristo, mi Cristo;
   Y su poder venció, Cristo el Señor.

Cristo la tumba venció, Y con gran poder resucitó;
De sepulcro y muerte Cristo es vencedor,
Vive para siempre nuestro Salvador.
¡Gloria a Dios! ¡Gloria a Dios! El Señor resucitó.

Robert Lowry, 1826-1899; trad. George P. Simmonds.
Trad. © copyright 1967, renovado, George P. Simmonds.
Todos los derechos reservados. Usado con permiso.

73. A Cristo coronad [C-12]

En su cabeza tiene muchas diademas — Apocalipsis 19:12

1. A Cristo coronad Divino Salvador.
   Sentado en alta majestad Es digno de loor
   Al Rey de gloria y paz Loores tributad,
   Y bendecid al Inmortal Por toda eternidad.

2. A Cristo coronad Señor de vida y luz;
   Con alabanzas proclamad Los triunfos de la cruz.
   A él sólo adorad, Señor de salvación;
   Loor eterno tributad De todo corazón.

3. A Cristo coronad Pues grande es su poder.
   Sus santos todos entonad Canciones de loor.
   Es Rey de vida y paz Por la eternidad.
   Su vida dio y nos salvó; Su nombre venerad.

4. A Cristo coronad Señor de nuestro amor,
   Al Rey triunfante celebrad, Glorioso vencedor;
   Potente Rey de paz El triunfo consumó,
   Y por su muerte de dolor
       Su grande amor mostró.

Estrofas 1, 3, 4, Matthew Bridges, 1800-1894;. estrofa 2, Godfrey Thring,
1823-1903; trad. estrofas 1, 2, y 4, E. A. Strange; estrofa 3, Salomón R. Mussiett.
Trad. estrofa 3 © copyright 1997 *Editorial Mundo Hispano*. Todos los
derechos reservados.

74. Cristo venció [C-13]

No está aquí; más bien, ha resucitado — Lucas 24:6

Para librarnos, Cristo murió.
Para salvarnos, él resucitó.
Démosle gloria, démosle honor;
Pues ya la muerte, Cristo venció.

Greg Skipper, 1950, Gail Skipper, 1950; trad. Salomón R. Mussiett.
© Copyright 1991 Broadman Press. Trad. © copyright 1997 *Editorial Mundo Hispano*.
Todos los derechos reservados. Traducido y usado con permiso.

75. Hay poder en el nombre de Dios [C-14]

Y todo lo que pidáis en mi nombre, eso haré — Juan 14:13

Hay poder en el nombre de Dios,
Fortaleza en el nombre de Dios,
Esperanza en el nombre de Dios;
Bendito el que viene en el nombre de Dios.

Sandi Patti Helvering, 1956-; Phill McHugh, 1951-;
Gloria Gaither, 1942-; trad. Salomón R. Mussiett.
(McHugh, Patty, Gaither) © copyright 1986 River Oaks Music Co. /
Gaither Music Co. / Sandi's Songs Music. River Oaks Music.
Trad. © copyright 1997 *Editorial Mundo Hispano*. Todos los derechos reservados.
Usado con permiso.

76. Cristo divino, Hijo unigénito [C-15]

*Su rostro era como el sol cuando resplandece
en su fuerza — Apocalipsis 1:16*

1. Cristo divino, Hijo unigénito,
   Gran Creador y fiel sostén,
   Siempre he de amarte, Siempre servirte,
   Mi gozo, mi corona y bien.

2. Los campos bellos Cubren el suelo
   De lozanía y floración;
   Jesús, empero, Siempre es más bello;
   Hace cantar el corazón.

3. ¡Bello el lucero! ¡La argentina luna!
   Titilan las estrellas mil.
   Jesús es bello, Jesús es puro
   Que todo el reino celestial.

4. Más que la aurora Fulge tu rostro
   Con hermosura de lirio en flor.
   Magnificencia Incomparable
   Eres mi Cristo, mi Señor.

Himno anónimo alemán, *Münster Gesangbuch*, 1677; trad. al castellano, estrofas 1-3,
Maurilio López L.; estrofa 4, Alberto Rembao.

77. ¡Oh qué amigo nos es Cristo! [C-16]
Nadie tiene mayor amor que éste — Juan 15:13

1. ¡Oh qué amigo nos es Cristo!
   Él llevó nuestro dolor,
   Y nos manda que llevemos
   Todo a Dios en oración.
   ¿Vive el hombre desprovisto
   De paz, gozo y santo amor?
   Esto es porque no llevamos
   Todo a Dios en oración.

2. ¿Vives débil y cargado
   De cuidados y temor?
   A Jesús, refugio eterno,
   Dile todo en oración.
   ¿Te desprecian tus amigos?
   Cuéntaselo en oración;
   En sus brazos de amor tierno
   Paz tendrá tu corazón.

3. Jesucristo es nuestro amigo,
   De esto prueba nos mostró,
   Pues sufrió el cruel castigo
   Que el culpable mereció.
   El castigo de su pueblo
   En su muerte él sufrió;
   Cristo es un amigo eterno;
   ¡Sólo en él confío yo!

Joseph Scriven, 1819-1866; trad. Leandro Garza Mora.

78. Cristo es mi dulce Salvador [C-17]
Porque para mí el vivir es Cristo — Filipenses 1:21

1. Cristo es mi dulce Salvador,
   Mi bien, mi paz, mi luz;
   Mostróme su infinito amor
   Muriendo en dura cruz.
   Cuando estoy triste encuentro en él
   Consolador y amigo fiel;
   Consolador, amigo fiel es Jesús.

2. Cristo es mi dulce Salvador,
   Su sangre me compró;
   Con sus heridas y dolor,
   Perfecta paz me dio.
   Dicha inmortal allá tendré,
   Con Cristo siempre reinaré,
   Dicha inmortal allá tendré, con Jesús.

3. Cristo es mi dulce Salvador,
   Mi eterno Redentor,
   ¡Oh!, nunca yo podré pagar
   La deuda de su amor.
   Le seguiré fiel en la luz,
   No temeré llevar mi cruz;
   No temeré llevar mi cruz por Jesús.

4. Cristo es mi dulce Salvador,
   Por él salvado soy;
   La roca de la eternidad,
   En quien seguro estoy;
   Gloria inmortal allá tendré,
   Con Cristo siempre reinaré,
   Gloria inmortal allá tendré con Jesús.

Will L. Thompson, 1847-1909; trad. S. D. Athans.

79. Contigo, Cristo, quiero andar [C-18]
De la manera que habéis recibido a Cristo...
así andad en él — Colosenses 2:6

1. Contigo, Cristo, quiero andar,
   Y en tu servicio trabajar;
   Dime el secreto de saber
   Llevar mi vida con poder.

2. Enséñame cómo alcanzar
   Al que yo debo rescatar;
   Sus pies anhelo encaminar
   En sendas que van a tu hogar.

3. Enséñame paciente a ser;
   Contigo que halle mi placer,
   Que crezca en fuerza espiritual
   Y en fe que venza todo mal.

4. Dame esperanza para que
   Pueda el futuro ver con fe.
   Para poder tu paz gozar,
   Contigo, Cristo, quiero andar.

Washington Gladden, 1836-1918; trad. George P. Simmonds.
Trad. © copyright 1978, renovado, George P. Simmonds.
Todos los derechos reservados. Usado con permiso.

80. Con cánticos, Señor [C-19]

*¡Regocijaos en el Señor siempre! Otra vez lo
digo: ¡Regocijaos! — Filipenses 4:4*

1. Con cánticos, Señor, Mi corazón y voz
   Te adoran con fervor, ¡Oh Trino, Santo Dios!
   En tu mansión yo te veré, Y paz eterna gozaré.

2. Tu mano paternal Trazó mi senda aquí;
   Mis pasos, cada cual, Velados son por ti.
   En tu mansión yo te veré, Y paz eterna gozaré.

3. Innumerables son Los bienes, y sin par,
   Que por tu compasión Recibo sin cesar.
   En tu mansión yo te veré, Y paz eterna gozaré.

4. Tú eres, ¡Oh Señor! Mi sumo, todo bien;
   Mil lenguas tu amor Cantando siempre estén.
   En tu mansión yo te veré, Y paz eterna gozaré.

James John Cummins, 1795-1867; trad. M. N. Hutchinson.

81. Loores dad a Cristo el Rey [C-20]

*Al Cordero sean la bendición y la honra y la
gloria y el poder — Apocalipsis 5:13*

1. Loores dad a Cristo el Rey, Suprema potestad;
   // De su divino amor la ley, Postrados aceptad. //

2. Vosotros, hijos del gran Rey, Ovejas de la grey;
   // Loores dad a Emanuel, Y proclamadle Rey. //

3. Naciones todas, escuchad Y obedeced su ley;
   // De Cristo ved su majestad, Y proclamadle Rey. //

4. Dios quiera que con los que están
      Del trono en derredor,
   // Cantemos por la eternidad A Cristo el Salvador. //

Estrofas 1, 2, Edward Perronet, 1726-1792; 3, 4, John Rippon 1751-1836; trad. T. M. Westrup.

82. Gloria a Cristo [C-21]

*La bendición y la gloria... sean a nuestro Dios
por los siglos de los siglos — Apocalipsis 7:12*

¡Gloria a Cristo! Al Santo Emanuel,
Rey de reyes, la Estrella Celestial.
Para siempre reinará; démosle honra
A quien reinará por la eternidad.

Dave Moody, 1948-; trad. Salomón R. Mussiett.

83. Poderoso y grande [C-22]

*Grandes y maravillosas son tus obras, Señor
Dios Todopoderoso — Apocalipsis 15:3*

// Poderoso y grande es nuestro Dios, Poderoso es él. //
Alza cantos de loor a Dios, ríndele honor;
Poderoso y grande es nuestro Dios, Poderoso es él.

Marlene Bigley; trad. Salomón R. Mussiett.

84. Maravilloso es el nombre de Jesús [C-23]

*Porque un niño nos es nacido... Se llamará su
nombre: Admirable — Isaías 9:6*

Maravilloso es El nombre de Jesús,
Maravilloso es Cristo el Señor;
Rey poderoso y fiel, De todo es dueño él,
Maravilloso es Cristo el Señor.

Pastor divino, la Roca eterna,
Dios poderoso es;
Venid, amadle, hoy adoradle;
Maravilloso es Cristo el Señor.

Audrey Mieir, 1916-; trad. Marjorie J. de Caudill.
© Copyright 1959; Renovado 1987 por MANNA MUSIC, INC. (ASCAP)
35255 Brooten Road, Pacific City, OR 97135. Todos los derechos reservados.
Usado con permiso.

85. Gloria demos al Salvador [C-24]

*Dios... le otorgó el nombre que es sobre
todo nombre — Filipenses 2:9*

1. ¡Oh quién tuviera lenguas mil!
   Gloria demos al Salvador.
   Con gratitud al Rey decid:
   "Gloria demos al Salvador".

// Gloria al Salvador, Gloria al Salvador,
Gloria demos al Salvador. //

2. Jesús disipa todo mal,
   Gloria demos al Salvador.
   Nos da pureza celestial,
   Gloria demos al Salvador.

// Gloria al Salvador, Gloria al Salvador,
Gloria demos al Salvador. //

3. Al pecador podrá limpiar,
   Gloria demos al Salvador.
   Su ser él quiere transformar,
   Gloria demos al Salvador.

// Gloria al Salvador, Gloria al Salvador,
Gloria demos al Salvador. //

4. A Cristo honra y loor,
   Gloria demos al Salvador.
   Porque salvó al pecador,
   Gloria demos al Salvador.

// Gloria al Salvador, Gloria al Salvador,
Gloria demos al Salvador. //

Charles Wesley, 1707-1788, adap.; coro, Ralph E. Hudson, 1843-1901; trad. Honorato T. Reza.
Trad. © copyright 1962, (Admin. por The Copyright Co. Nashville, TN). Todos los derechos
reservados. Lillenas Publishing Company. Amparado por la ley de copyright internacional.
Usado con permiso.

86. ¡Oh Cristo!, tu ayuda quisiera tener [D-1]
Sí, Señor; tú sabes que te amo — Juan 21:15

1. ¡Oh Cristo!, tu ayuda quisiera tener
   En todas las luchas que agitan mi ser;
   Tan sólo tú puedes la vida salvar,
   Tú solo la fuerza le puedes prestar.

2. ¡Oh Cristo!, la gloria del mundo busqué,
   Y ansioso mi vida y afán le entregué.
   Y en cambio mi pecho tan sólo encontró
   Torturas sin cuento, que el alma apuró.

3. ¡Oh Cristo!, quisiera llegar a vivir
   De aquellos alientos que tú haces sentir
   Al alma que huyendo del mal tentador,
   Se vuelve anhelante, ¡se vuelve a tu amor!

4. ¡Oh Cristo!, quisiera tus huellas seguir
   Y gracia constante de ti recibir;
   Hallar en mis noches contigo la luz,
   ¡Alivio a mis penas al pie de la cruz!

William R. Featherston, 1846-1873; trad. Vicente Mendoza.

87. Cristo es el Señor [D-2]
Jesucristo es Señor — Filipenses 2:11

¡Es Jesús el Señor!
Ya la muerte dominó nuestro Señor.
Todos dad loor al Señor Jesús, pues
Cristo es el Señor.

88. Te amo, Rey [D-3]
Tú sabes que te amo — Juan 21:17

Te amo, Rey, y levanto mi voz
Para adorar y gozarme en ti.
Regocíjate y escucha, mi Rey;
Que sea un dulce sonar para ti.

89. Alégrense en el Señor [D-4]
¡Regocijaos en el Señor siempre! Otra vez lo digo: ¡Regocijaos! — Filipenses 4:4

// Alégrense en el Señor; siempre alegres estén. //
// Alaben a Cristo, quien es vuestro Salvador. //
// Alégrense en el Señor; siempre alegres estén. //

90. Canta aleluya al Señor [D-5]
¡Aleluya! La salvación y la gloria y el poder pertenecen a nuestro Dios — Apocalipsis 19:1

MELODÍA	CONTRAMELODÍA
Canta aleluya al Señor,	Canta aleluya al Señor,
Canta aleluya al Señor;	Canta aleluya,
Canta aleluya,	A - le -
Canta aleluya;	lu - ya,
Canta aleluya al Señor.	Canta aleluya al Señor.

91. Tu santo nombre alabaré [D-6]

Mi lengua hablará... de tu alabanza, todo el día — Salmo 35:28

1. Tu santo nombre alabaré,
   Bendito Redentor;
   Ni lenguas mil cantar podrán
   La grandeza de tu amor.

2. Bendito mi Señor y Dios,
   Te quiero proclamar,
   Decir al mundo en derredor
   De tu salvación sin par.

3. Dulce es tu nombre para mí,
   Pues quita mi temor;
   En él encuentra paz, salud
   El pobre pecador.

4. Sobre pecado y tentación
   Victoria te dará.
   Su sangre limpia al ser más vil.
   ¡Gloria a Dios, soy limpio ya!

Charles Wesley, 1707-1788; trad. R. H. Dalke y Ellen de Eck.

92. ¡Cantad alegres a Jehovah!

¡Cantad alegres a Jehovah, habitantes de toda la tierra! Servid a Jehovah con alegría; venid ante su presencia con regocijo. Reconoced que Jehovah es Dios; él nos hizo, y no nosotros a nosotros mismos. Pueblo suyo somos, y ovejas de su prado. Entrad por sus puertas con acción de gracias, por sus atrios con alabanza. Dadle gracias; bendecid su nombre, porque Jehovah es bueno. Para siempre es su misericordia, y su fidelidad por todas las generaciones.

Salmo 100

93. Es Cristo quien por mí murió [D-7]

A él le amáis, sin haberle visto — 1 Pedro 1:8

1. Es Cristo quien por mí murió,
   Mis culpas él borró.
   ¡Cuán grandes penas él sufrió,
   Cuán grande es su amor!

¡Oh, cuánto le alabo! ¡Oh, cuánto le adoro!
Y siempre le sigo De todo corazón.

2. Jesús su sangre derramó,
   El Rey por mí murió;
   Por mí, porque él me amó,
   Mi iniquidad limpió.

¡Oh, cuánto le alabo! ¡Oh, cuánto le adoro!
Y siempre le sigo De todo corazón.

3. ¡Oh! nunca puedo yo pagar,
   La deuda de su amor;
   Estoy aquí, mi Salvador,
   Recíbeme, Señor.

¡Oh, cuánto le alabo! ¡Oh, cuánto le adoro!
Y siempre le sigo De todo corazón.

4. Vivir con Cristo me trae paz,
   Con él habitaré;
   Pues suyo soy, y de hoy en más,
   A nadie temeré.

¡Oh, cuánto le alabo! ¡Oh, cuánto le adoro!
Y siempre le sigo De todo corazón.

Frederick Whitfield, 1829-1904; es traducción.

94. Aleluya [D-8]
Oí como la voz de una gran multitud...
diciendo: ¡Aleluya! — Apocalipsis 19:6

1. //// Aleluya, aleluya. ////

2. //// Yo te amo, yo te amo. ////

3. //// Te alabo, te alabo. ////

4. //// Él es digno, él es digno. ////

95. Padre, te adoro [D-9]
Para que así seáis llenos de toda la plenitud de Dios — Efesios 3:19

1. Padre, te adoro; Ante ti doy la vida; Yo te amo.

2. Cristo, te adoro; Ante ti doy la vida; Yo te amo.

3. Santo Espíritu, Ante ti doy la vida; Yo te amo.

96. ¡Gloria! ¡Gloria! [D-10]
Grande es Jehovah y digno de suprema alabanza — Salmo 48:1

1. ¡Gloria! ¡Gloria! a Jesús Salvador nuestro.
   ¡Canta, tierra! Canta su gran amor.
   ¡Gloria! ¡Gloria! Ángeles santos del cielo,
   A su nombre den eternal loor.
   Cuenta cómo él descendió del cielo
   A nacer y en vida sufrir dolor.
   ¡Gloria! ¡Gloria! Ángeles santos del cielo
   A su nombre den eternal loor.

2. ¡Gloria! ¡Gloria! a Jesús Salvador nuestro.
   Por nosotros él con la cruz cargó:
   Por salvarnos él sufrió pena de muerte,
   Del pecado Cristo nos libertó.
   ¡Alabadle! ¡Oh qué amor tan grande!
   Que nos brinda éste que él mostró.
   ¡Gloria! ¡Gloria! Ángeles santos del cielo
   A su nombre den eternal loor.

3. ¡Gloria! ¡Gloria! a Jesús, Salvador nuestro.
   Cielos canten su gloria y majestad.
   Jesucristo reina por siglos eternos.
   Coronadle Rey por la eternidad.
   Pronto viene sublime y victorioso;
   Honra y gloria son de nuestro Señor.
   ¡Gloria! ¡Gloria! Ángeles santos del cielo
   A su nombre den eternal loor.

Fanny J. Crosby, 1820-1915; trad. estrofas 1, 2, C. V. Pelegrín; estrofa 3, Salomón R. Mussiett.
Trad. estrofa 3, © copyright 1997 *Editorial Mundo Hispano*. Todos los derechos reservados.

97. Bendecid el nombre de Cristo [D-11]

*De manera que el nombre de nuestro Señor Jesús
sea glorificado — 2 Tesalonicenses 1:12*

1. // Bendecid el nombre de Cristo. //
   No hay otro como él.

2. // Y cantad al nombre de Cristo. //
   No hay otro como él.

3. // Predicad el nombre de Cristo. //
   No hay otro como él.

4. // Alabad el nombre de Cristo. //
   No hay otro como él.

5. // Compartid el nombre de Cristo. //
   No hay otro como él.

Tradicional afroamericana; trad. estrofas 1, 2, 4, Alfredo Colman; estrofas 3, 5, Eduardo Steele.
Trad. estrofas 1, 2, 4 © copyright 1994 GENEVOX MUSIC GROUP. Usado con permiso.
Trad. estrofas 3, 5 © copyright 1997 *Editorial Mundo Hispano*. Todos los derechos reservados.

98. ¡Oh Padre, eterno Dios! [D-12]

¿Quién es este Rey de gloria? ¡Jehovah
de los Ejércitos! — Salmo 24:10

1. ¡Oh Padre, eterno Dios! Alzamos nuestra voz
   Con santo ardor, Por cuanto tú nos das,
   Tu ayuda sin igual, Hallando nuestra paz
   En ti, Señor.

2. ¡Bendito Salvador! Te damos con amor
   El corazón. Y tú nos puedes ver
   Que humildes a tu altar, Venimos a traer,
   Precioso don.

3. ¡Espíritu de Dios! Escucha nuestra voz;
   Y tu bondad Derrame en nuestro ser
   Divina claridad, Para poder vivir
   En santidad.

4. Con gozo y amor, Cantemos con fervor
   Al Trino Dios. En la eternidad
   Mora la Trinidad; ¡Por siempre alabad
   Al Trino Dios!

Estrofas 1-3 Vicente Mendoza, 1875-1955; estrofa 4 en *Estrella de Belén, 1867.*

99. ¡Santo Espíritu, lléname! [D-13]

Todos fueron llenos del Espíritu Santo — Hechos 2:4

1. ¡Oh, Santo Espíritu de Dios! Unge mi corazón;
   Tu luz divina brille en mí Con todo su esplendor.

   ¡Lléname! ¡Lléname! Santo Espíritu de Dios.
   Mueve mi ser con tu poder,
   ¡Oh, Santo Espíritu, Lléname!

2. ¡Oh, Santo Espíritu de Dios! Toma mi voluntad;
   Hazme saber el gran poder De Cristo con claridad.

¡Lléname! ¡Lléname! Santo Espíritu de Dios.
Mueve mi ser con tu poder,
¡Oh, Santo Espíritu, Lléname!

3. ¡Oh, Santo Espíritu de Dios! Dame tu gran poder;
Enciende el fuego de tu amor Muy dentro de mi ser.

¡Lléname! ¡Lléname! Santo Espíritu de Dios.
Mueve mi ser con tu poder,
¡Oh, Santo Espíritu, Lléname!

4. ¡Oh, Santo Espíritu de Dios! Escucha mi oración;
Mi vida entera te la doy En fiel consagración.

¡Lléname! ¡Lléname! Santo Espíritu de Dios.
Mueve mi ser con tu poder,
¡Oh, Santo Espíritu, Lléname!

Edwin Hatch, 1835-1889; adap., B. B. McKinney, 1886-1952;
trad. Adolfo Robleto y Guillermo Blair. © Copyright 1937. Renovado en 1965 Broadman
Press. Todos los derechos reservados. Traducido y usado con permiso.

100. Dulce espíritu [D-14]
Y el Dios de paz y de amor estará con vosotros — 2 Corintios 13:11

1. Hay un dulce espíritu aquí,
Y yo sé que es el Espíritu del Señor.
Cada rostro expresa el gozo, sí,
Pues sentimos la presencia del Salvador.

Santo Espíritu, Fiel, celestial,
Quédate aquí, Y llénanos de tu amor.
Y por tus obras te damos hoy loor;
Y sin dudar yo sé que nueva vida en ti
Tendremos siempre aquí.

2. Bendiciones puedes recibir,
Si le entregas fiel tu vida a tu Salvador.
Eres tú dichoso al decir:
"A Jesús con fe yo siempre le seguiré".

Santo Espíritu, Fiel, celestial,
Quédate aquí, Y llénanos de tu amor.
Y por tus obras te damos hoy loor;
Y sin dudar yo sé que nueva vida en ti
Tendremos siempre aquí.

Doris Akers, 1922-; arr., Kurt Kaiser, 1934-; trad. Adolfo Robleto.
© Copyright 1962; Renovado 1990 por MANNA MUSIC, INC. (ASCAP),
35255 Brooten Road, Pacific City, OR 97135. Trad. © copyright 1978 *Mundo Hispano*.
Todos los derechos reservados. Usado con permiso.

101. Oh, deja que el Señor [D-15]

*El Espíritu Santo cayó sobre todos los que
oían la palabra — Hechos 10:44*

1. Oh, deja que el Señor te envuelva,
    con su Espíritu de amor,
Satisfaga hoy tu alma y corazón.
Entréga le lo que te impida
    y su Espíritu vendrá
Sobre ti, y vida nueva te dará.

Cristo, oh Cristo, Ven y llénanos.
Cristo, oh Cristo, Llénanos de ti.

2. Alzamos nuestra voz con gozo,
    nuestra alabanza a ti;
Con dulzura te entregamos nuestro ser.
Entrega toda tu tristeza
    en el nombre de Jesús,
Y abundante vida hoy tendrás en él.

Cristo, oh Cristo, Ven y llénanos.
Cristo, oh Cristo, Llénanos de ti.

John Wimber, 1934-; es traducción.
© Copyright 1979 Mercy/Vineyard Publishing (ASCAP).
Usado con permiso.

102. Espírit[u]

Más bien, sed llenos del Esp[íritu]

// Espíritu de Dios, llena [mi vida,]
llena mi alma, llena mi se[r;]

// Lléname, lléname Con tu pre[sencia;]
lléname, lléname Con tu poder;
lléname, lléname Con tu amor. //

Espíritu de Dios, llena mi vida,
llena mi alma, llena mi ser.
Espíritu de Dios.

Anónimo.

103. Gloria a tu nombre por doquier [D-17]

*Doy gracias a tu nombre por tu misericordia
y tu verdad — Salmo 138:2*

1. Padre, te amo, te alabo y te adoro;
   Gloria a tu nombre por doquier.
   Gloria a ti, Señor, Gloria a ti, Señor;
   Gloria a tu nombre por doquier.

2. Cristo, te amo, te alabo y te adoro;
   Gloria a tu nombre por doquier.
   Gloria a ti, Señor, Gloria a ti, Señor;
   Gloria a tu nombre por doquier.

3. Espíritu, te alabo y te adoro;
   Gloria a tu nombre por doquier.
   Gloria a ti, Señor, Gloria a ti, Señor;
   Gloria a tu nombre por doquier.

Donna Adkins, 1940-; es traducción.
© Copyright 1976, MARANATHA! MUSIC (Admin. por The Copyright Co.
Nashville, TN) 35255 Brooten Road, Pacific City, OR 97135. Trad. © copyright 1978
Editorial Mundo Hispano. Todos los derechos reservados. Usado con permiso.
Amparado por la ley de copyright internacional.

mi vida,
//
encia;

El llamándote hoy está,
Bellas palabras de vida.
Bondadoso te salva,
Y al cielo te llama;

// ¡Qué bellas son, qué bellas son!
Bellas palabras de vida. //

3. Grato el cántico sonará,
   Bellas palabras de vida;
   Tus pecados perdonará,
   Bellas palabras de vida.
   Sí, de luz y vida
   Son sostén y guía;

// ¡Qué bellas son, qué bellas son!
Bellas palabras de vida. //

Philip P. Bliss, 1838-1876; trad. Julia Butler.

105. Vida abundante [D-19]

Yo he venido para que tengan vida... en abundancia — Juan 10:10

Vida abundante Jesús ofrece,
Vida triunfante de día en día;
Él es la fuente de vida eterna
que brota siempre en mi corazón.

1. En la cruz murió mi Jesús;
   Con su muerte vida me dio;
   Por su gracia me transformó
   Y la vida abundante me concedió.

Vida abundante Jesús ofrece,
Vida triunfante de día en día;
Él es la fuente de vida eterna
que brota siempre en mi corazón.

2. La mujer que fue y tocó
   El vestido del Señor;
   Por su fe salud recibió
   Y la vida abundante Jesús le dio.

Vida abundante Jesús ofrece,
Vida triunfante de día en día;
Él es la fuente de vida eterna
que brota siempre en mi corazón.

3. En la cruz pidió el malhechor
   De su alma la salvación;
   Vida eterna pudo alcanzar,
   Pues la vida abundante Jesús le dio.

Vida abundante Jesús ofrece,
Vida triunfante de día en día;
Él es la fuente de vida eterna
que brota siempre en mi corazón.

Rafael Enrique Urdaneta M., 1941.

106. Me guía él [D-20]

Junto a aguas tranquilas me conduce — Salmo 23:2

1. Me guía él, con cuánto amor,
   Me guía siempre mi Señor;
   En todo tiempo puedo ver
   Con cuánto amor me guía él.

Me guía él, me guía él,
Con cuánto amor me guía él;
No abrigo dudas ni temor,
Pues me conduce el buen Pastor.

2. En el abismo del dolor
   O donde intenso brilla el sol,
   En dulce paz o en lucha cruel,
   Con gran bondad me guía él.

Me guía él, me guía él,
Con cuánto amor me guía él;
No abrigo dudas ni temor,
Pues me conduce el buen Pastor.

3. La mano quiero yo tomar
   De Cristo; nunca vacilar,
   Cumpliendo con fidelidad
   Su sabia y santa voluntad.

Me guía él, me guía él,
Con cuánto amor me guía él;
No abrigo dudas ni temor,
Pues me conduce el buen Pastor.

4. Y la carrera al terminar,
   El alba eterna al vislumbrar,
   No habrá ni dudas ni temor,
   Pues me guiará mi buen Pastor.

Me guía él, me guía él,
Con cuánto amor me guía él;
No abrigo dudas ni temor,
Pues me conduce el buen Pastor.

Joseph H. Gilmore, 1834-1918; trad. Epigmenio Velasco.

107. Revelado al fin será [D-21]
He aquí, os digo un misterio — 1 Corintios 15:51

1. De un bulbo nacen flores;
   la semilla un árbol da;
   De capullos mariposas
   vuelan a la libertad.
   Tras la nieve del invierno
   primavera ha de brotar;
   Lo que sólo Dios ve ahora
   revelado al fin será.

2. Hay un canto en el silencio
   que algún día ha de vibrar;
   Un amanecer hermoso
   tras la noche ha de llegar.
   Del pasado, a un futuro
   que ignoramos qué traerá;
   Lo que sólo Dios ve ahora
   revelado al fin será.

3. Nuestro fin será el principio,
   nuestro tiempo, infinidad;
   Nuestras dudas, certidumbre,
   nuestra vida eternidad;
   Nuestra muerte, nueva vida
   de victoria y majestad;
   Lo que sólo Dios ve ahora
   revelado al fin será.

Natalie Sleeth, 1930-1992; trad. Adelina Almanza.

108. No hay cual Jesús [D-22]

Ya no os llamo más siervos... os he llamado amigos — Juan 15:15

1. No hay cual Jesús otro fiel amigo. // No lo hay. //
   Otro que pueda salvar las almas. // No lo hay. //

Conoce todas nuestras luchas,
Y sólo él nos sostendrá.
No hay cual Jesús otro fiel amigo. // No lo hay. //

2. No hay otro amigo tan puro y santo. // No lo hay. //
   Ni otro aquí que es tan humilde. // No lo hay. //

Conoce todas nuestras luchas,
Y sólo él nos sostendrá.
No hay cual Jesús otro fiel amigo. // No lo hay. //

3. No hay un instante en que nos olvide. // No lo hay. //
   No hay noche oscura que no nos cuide. // No la hay. //

Conoce todas nuestras luchas,
Y sólo él nos sostendrá.
No hay cual Jesús otro fiel amigo. // No lo hay. //

4. No hay otro amor como el de Cristo. // No lo hay. //
   Ha prometido estar conmigo, // Hasta el fin. //

Conoce todas nuestras luchas,
Y sólo él nos sostendrá.
No hay cual Jesús otro fiel amigo. // No lo hay. //

5. No hay otro don como nuestro Cristo. // No lo hay. //
   Nos llevará al hogar divino. // ¡Gloria a Dios! //

Conoce todas nuestras luchas,
Y sólo él nos sostendrá.
No hay cual Jesús otro fiel amigo. // No lo hay. //

Johnson Oatman, Jr., 1856-1922; trad. estrofas 1, 3, 4, anónimo; estrofas 2, 5, Eduardo Steele.
Trad. estrofas 2 y 5, © copyright 1997 *Mundo Hispano*. Todos los derechos reservados.

109. Un mandamiento nuevo [D-23]

*Este es mi mandamiento: que os améis los
unos a los otros — Juan 15:12*

1. // Un mandamiento nuevo os doy:
   Que os améis unos a otros; //

   // Como yo os he amado,
   Como yo os he amado,
   Que os améis también vosotros. //

2. // Amémonos de corazón
   Y de labios no fingidos //

   // Para cuando Cristo venga,
   Para cuando Cristo venga
   Estemos apercibidos. //

3. // ¿Cómo puedo yo orar
   Resentido con mi hermano? //

   // Dios no escucha la oración,
   Dios no escucha la oración
   Si no estoy reconciliado. //

Gladys Terán de Prado, 1939-.
Usado con el permiso de la Iglesia del Pacto en el Ecuador.

110. Que mi vida entera esté [D-24]

*Que presentéis vuestros cuerpos como sacrificio vivo,
santo y agradable a Dios — Romanos 12:1*

1. Que mi vida entera esté
   Consagrada a ti, Señor;
   Que a mis manos pueda guiar
   // El impulso de tu amor. //

2. Que mis pies tan sólo en pos
   De lo santo puedan ir;
   Y que a ti, Señor, mi voz
   // Se complazca en bendecir. //

3. Que mis labios al hablar
   Hablen sólo de tu amor;
   Que mis bienes ocultar
   // No los pueda a ti, Señor. //

4. Toma, ¡oh Dios!, mi voluntad,
   Y hazla tuya nada más;
   Toma, sí, mi corazón,
   // Y tu trono en él tendrás. //

Frances R. Havergal, 1836-1879; trad. Vicente Mendoza.

111. Vivo por Cristo [D-25]
Para que andéis como es digno del Señor — Colosenses 1:10

1. Vivo por Cristo, confiando en su amor,
   Vida me imparte, poder y valor;
   Grande es el gozo que tengo por él,
   Es de mi senda, Jesús, guía fiel.

¡Oh Salvador bendito!, me doy tan sólo a ti,
Porque tú en el Calvario te diste allí por mí;
No tengo más Maestro, yo fiel te serviré;
A ti me doy, pues tuyo soy,
De mi alma, eterno Rey.

2. Vivo por Cristo, murió él por mí.
   Siempre servirle mi alma anheló;
   Porque me ha dado tal prueba de amor,
   Yo hoy me rindo por siempre al Señor.

¡Oh Salvador bendito!, me doy tan sólo a ti,
Porque tú en el Calvario te diste allí por mí;
No tengo más Maestro, yo fiel te serviré;
A ti me doy, pues tuyo soy,
De mi alma, eterno Rey.

3. Vivo sirviendo, siguiendo al Señor;
   Quiero imitar a mi buen Salvador.
   Busco a las almas hablándoles de él,
   Y es mi deseo ser constante y fiel.

¡Oh Salvador bendito!, me doy tan sólo a ti,
Porque tú en el Calvario te diste allí por mí;
No tengo más Maestro, yo fiel te serviré;
A ti me doy, pues tuyo soy,
De mi alma, eterno Rey.

112. Heme aquí, oh Señor [D-26]
Guíame, oh Jehovah, en tu justicia — Salmo 5:8

1. Oh Señor, háblame; Oh Señor, guíame,
   Que sólo viva por ti.
   Oh Señor, háblame; Oh Señor, guíame,
   Que sólo viva por ti.

2. Oh Señor, dame fe; Oh Señor, guíame,
   Que sólo viva por ti.
   Oh Señor, dame fe; Oh Señor, guíame,
   Que sólo viva por ti.

3. Heme aquí, oh Señor, Heme aquí, como soy,
   Que sólo viva por ti.
   Heme aquí, oh Señor, Heme aquí, como soy,
   Que sólo viva por ti.

113. La dicha del perdón

Bienaventurado aquel cuya transgresión ha sido perdonada, y ha sido cubierto su pecado. Bienaventurado el hombre a quien Jehovah no atribuye iniquidad, y en cuyo espíritu no hay engaño. Mientras callé, se envejecieron mis huesos en mi gemir, todo el día. Porque de día y de noche se agravó sobre mí tu mano; mi vigor se convirtió en sequedades de verano. Mi pecado te declaré y no encubrí mi iniquidad. Dije: "Confesaré mis rebeliones a Jehovah". Y tú perdonaste la maldad de mi pecado.

Salmo 32:1-5

114. Confío yo en Cristo [D-27]

Junto a la cruz de Jesús estaban su madre... — Juan 19:25

1. Confío yo en Cristo, Que en la cruz murió;
   Y por su muerte, listo, Voy a la gloria yo.
   Con sangre tan valiosa Mis culpas lava él,
   La derramó copiosa El santo Emanuel.

2. Me cubre tu justicia De plena perfección;
   Tú eres mi delicia, Mi eterna salvación.
   Jesús, en ti descanso. Reposo tú me das;
   Con calma yo avanzo Al cielo, donde estás.

3. Venir a ti me invitas A disfrutar, Señor,
   Delicias infinitas Y celestial amor.
   Espero yo mirarte, Oír tu dulce voz;
   Espero alabarte, ¡Mi Salvador, mi Dios!

Elizabeth C. Clephane, 1830-1869; traducción en *Estrella de Belén.*

115. Haz lo que quieras [E-1]

Yo caminaré en tu verdad — Salmo 86:11

1. Haz lo que quieras de mí, Señor;
   Tú el Alfarero, yo el barro soy;
   Dócil y humilde anhelo ser;
   Pues tu deseo es mi querer.

2. Haz lo que quieras de mí, Señor;
   Mírame y prueba mi corazón;
   Lávame y quita toda maldad
   Para que pueda contigo estar.

3. Haz lo que quieras de mí, Señor;
   Cura mis llagas y mi dolor;
   Tuyo es, ¡oh Cristo!, todo poder;
   Tu mano extiende y sanaré.

4. Haz lo que quieras de mí, Señor;
   Guía mi vida, Señor, aquí;
   De tu potencia llena mi ser,
   Y el mundo a Cristo pueda en mí ver.

Adelaide A. Pollard, 1862-1934; trad. Ernesto Barocio.

116. Cristo de todo es Rey [E-2]

La paz por medio de Jesucristo. Él es
el Señor de todos — Hechos 10:36

1. Cristo es mi Dueño, mi Rey y Señor;
   Mi amor y mi gloria es él;
   Él me acompaña en paz o en dolor,
   Él es mi amigo fiel.

Cristo es el Buen Pastor, Cristo de todo es Rey:
De mi pensar y de todo mi amor. Cristo de todo es Rey.

2. Santo y bendito es mi Rey Salvador,
   Digno es de gloria y de prez;
   Le doy mi tributo y loor con amor,
   Vida y camino es él.

Cristo es el Buen Pastor, Cristo de todo es Rey:
De mi pensar y de todo mi amor. Cristo de todo es Rey.

3. ¿Quieres rendirle tu vida al Señor
   Y siempre andar en su ley?
   Acéptale hoy como tu Salvador,
   Hazle a él tu Rey.

Cristo es el Buen Pastor, Cristo de todo es Rey:
De mi pensar y de todo mi amor. Cristo de todo es Rey.

LeRoy McClard, 1926-; trad. Agustín Ruiz V.
© Copyright 1966 Broadman Press. Trad. © copyright 1978 Broadman Press.
Traducido y usado con permiso.

117. He decidido seguir a Cristo [E-3]

Si alguno me sirve, sígame — Juan 12:26

1. /// He decidido seguir a Cristo; ///
   No vuelvo atrás, no vuelvo atrás.

2. /// El Rey de gloria me ha transformado; ///
   No vuelvo atrás, no vuelvo atrás.

3. /// Mi cruz levanto y sigo a Cristo; ///
   No vuelvo atrás, no vuelvo atrás.

4. /// La vida vieja ya he dejado; ///
   No vuelvo atrás, no vuelvo atrás.

Estrofa 1, anónimo; estrofas 2, 4 originales de Roberto Savage.
Trad. estrofa 3, Salomón R. Mussiett.
Trad. estrofa 3 © copyright 1997 *Editorial Mundo Hispano*. Todos los derechos reservados.

118. Tal como soy [E-4]
Lávame más y más de mi maldad,
y límpiame de mi pecado — Salmo 51:2

1. Tal como soy, de pecador,
   Sin más confianza que tu amor,
   Ya que me llamas, vengo a ti;
   Cordero de Dios, heme aquí.

2. Tal como soy, sin esperar
   Quitar la mancha del pecar.
   Oh, pon tu sangre sobre mí;
   Cordero de Dios, heme aquí.

3. Tal como soy, buscando paz
   En mi desgracia y mal tenaz,
   Conflicto grande siento en mí;
   Cordero de Dios, heme aquí.

4. Tal como soy, sin paz, sin luz,
   Confiando sólo en tu virtud;
   Tu gracia quiero recibir;
   Cordero de Dios, heme aquí.

5. Tal como soy, me acogerás;
   Perdón, alivio me darás;
   Pues tu promesa ya creí;
   Cordero de Dios, heme aquí.

6. Tal como soy, tu compasión
   Vencido ha toda oposición;
   Ya pertenezco sólo a ti;
   Cordero de Dios, heme aquí.

Charlotte Elliott, 1789-1871; trad. estrofas 1, 3, 5, 6, T. M. Westrup; estrofas 2, 4, J. Alfonso Lockward;
trad. estrofas 2, 4 © copyright 1996 Abingdon Press. (Admin. por The Copyright Co. Nashville, TN.)
Todos los derechos reservados. Usado con permiso. Amparado por la ley de copyright internacional.

119. Cuán tiernamente Jesús hoy nos llama [E-5]

Venid a mí, todos los que estáis fatigados y cargados,
y yo os haré descansar — Mateo 11:28

1. ¡Cuán tiernamente Jesús hoy nos llama!
   Cristo a ti y a mí.
   Él nos espera con brazos abiertos;
   Llama a ti y a mí.

Venid, venid, Si estáis cansados, venid;
¡Cuán tiernamente nos está llamando!
¡Oh pecadores, venid!

2. ¿Porqué tememos si está abogando
   Cristo por ti y por mí?
   Sus bendiciones está derramando
   Siempre por ti y por mí.

Venid, venid, Si estáis cansados, venid;
¡Cuán tiernamente nos está llamando!
¡Oh pecadores, venid!

3. El tiempo vuela, lograrlo conviene,
   Cristo te llama a ti;
   Vienen las sombras y viene la muerte,
   Vienen por ti y por mí.

Venid, venid, Si estáis cansados, venid;
¡Cuán tiernamente nos está llamando!
¡Oh pecadores, venid!

4. Con fiel paciencia, su amor admirable
   Él sin medida nos da.
   A todo pueblo y a toda persona
   Siempre llamando él está.

Venid, venid, Si estáis cansados, venid;
¡Cuán tiernamente nos está llamando!
¡Oh pecadores, venid!

Thompson, 1847-1909; trad. estrofas 1-3, Pedro Grado, adap., H. C. Ball; estrofa 4, Vicente Mendoza.

120. El Salvador te espera [E-6]

Yo estoy a la puerta y llamo; si alguno... abre
la puerta, entraré a él — Apocalipsis 3:20

1. En tu alma desea Jesús hoy entrar,
   ¿No le quisieras abrir?
   No hay nada en el mundo que te ha de apartar,
   ¿Qué le vas tú a decir?

   > ¡Tanto el Señor te ha esperado a ti,
   > Y aún hoy te espera otra vez!
   > A ver si la puerta le quieres abrir,
   > Quiere él entrar donde estés.

2. Si tú te decides a Cristo venir,
   El parabién te dará;
   Por él tus tinieblas tendrán que salir,
   Y con su luz te guiará.

   > ¡Tanto el Señor te ha esperado a ti,
   > Y aún hoy te espera otra vez!
   > A ver si la puerta le quieres abrir,
   > Quiere él entrar donde estés.

Ralph Carmichael, 1927-; trad. Adolfo Robleto.
© Copyright 1958 SpiritQuest Music. Todos los derechos controlados por Gaither Copyright
Management. Usado con permiso. Trad. © copyright 1978 *Casa Bautista de Publicaciones*.

121. Gracia admirable [E-7]

Según las riquezas de su gracia — Efesios 1:7

1. Oh gracia admirable, ¡dulce es!
   ¡Que a mí, pecador, salvó!
   Perdido estaba yo, mas vine a sus pies;
   Fui ciego, visión me dio.

2. La gracia me enseñó a temer;
   Del miedo libre fui.
   ¡Cuán bella esa gracia fue en mi ser,
   La hora en que creí!

3. Peligro, lucha y tentación,
   Por fin los logré pasar;
   La gracia me libró de perdición,
   Y me llevará al hogar.

4. Después de años mil de estar allí,
   En luz como la del sol;
   Podremos cantar por tiempo sin fin
   Las glorias del Señor.

Estrofas 1-3, John Newton, 1725-1807; estrofa 4, anónimo; trad. Adolfo Robleto.
Trad. © copyright 1977 *Casa Bautista de Publicaciones.* Todos los derechos reservados.

122. Yo no tendré temor [E-8]
¿De quién temeré? — Salmo 27:1

1. // Yo no tendré temor; //
   Pondré mis ojos en Jesucristo y no temeré.

2. // Él estará conmigo; //
   Irá adelante siempre conmigo y no temeré.

3. // Su apoyo me dará; //
   Y con ternura me reconforta y no temeré.

4. // La Biblia nunca falla; //
   Sus enseñanzas me guían siempre y no temeré.

5. // Su gloria él me dará; //
   Por las edades es mi refugio y no temeré.

6. // Marchamos a su encuentro; //
   No hay temores, vamos confiados a la eternidad.

Ellis Govan, 1897-; trad. Salomón R. Mussiett.
Trad. © copyright 1997 *Editorial Mundo Hispano.* Todos los derechos reservados.

123. Tuyo soy, Jesús [E-9]

Acerquémonos con corazón sincero, en
plena certidumbre de fe — Hebreos 10:22

1. Tuyo soy, Jesús, ya tu voz oí,
   Cual mensaje de tu paz;
   Y deseo en alas de fe subir
   Y más cerca estar de ti.

Más cerca, cerca de tu cruz
Llévame, oh Salvador;
Más cerca, cerca, cerca de tu cruz
Do salvaste al pecador.

2. A seguirte en pos me consagro hoy,
   Impulsado por tu amor;
   Y mi espíritu, alma y cuerpo doy,
   Por servirte, mi Señor.

Más cerca, cerca de tu cruz
Llévame, oh Salvador;
Más cerca, cerca, cerca de tu cruz
Do salvaste al pecador.

3. ¡Cuán precioso es junto a ti estar,
   Tu presencia así sentir,
   Y darte loor con el corazón,
   Tu mirada recibir!

Más cerca, cerca de tu cruz
Llévame, oh Salvador;
Más cerca, cerca, cerca de tu cruz
Do salvaste al pecador.

4. Del amor divino jamás sabré
   La sublime majestad,
   Hasta que contigo tranquilo esté
   En tu gloria celestial.

Más cerca, cerca de tu cruz
Llévame, oh Salvador;
Más cerca, cerca, cerca de tu cruz
Do salvaste al pecador.

Fanny J. Crosby, 1820-1915; adap., T. M. Westrup; estrofa 3, Salomón R. Mussiett.
Trad. estrofa 3 © copyright 1997 *Editorial Mundo Hispano*.

124. En Jesucristo, el Rey de paz [E-10]

*Somos más que vencedores por medio de aquel
que nos amó — Romanos 8:37*

1. En Jesucristo, el Rey de paz,
   En horas negras de tempestad,
   Hallan las almas dulce solaz,
   Grato consuelo, felicidad.

Gloria cantemos al Redentor
Que por nosotros vino a morir;
Y que la gracia del Salvador
Siempre proteja nuestro vivir.

2. En nuestras luchas, en el dolor,
   En tristes horas de tentación,
   Cristo nos llena de su vigor,
   Y da aliento al corazón.

Gloria cantemos al Redentor
Que por nosotros vino a morir;
Y que la gracia del Salvador
Siempre proteja nuestro vivir.

3. Cuando luchamos llenos de fe
   Y no queremos desfallecer,
   Cristo nos dice: "Siempre os daré
   Gracia divina, santo poder".

Gloria cantemos al Redentor
Que por nosotros vino a morir;
Y que la gracia del Salvador
Siempre proteja nuestro vivir.

Fanny J. Crosby, 1820-1915; trad. E. A. Monfort Díaz.

125. Todas las promesas del Señor [E-11]

Nos han sido dadas preciosas y grandísimas promesas — 2 Pedro 1:4

1. Todas las promesas del Señor Jesús,
   Son apoyo poderoso de mi fe;
   Mientras viva aquí cercado de su luz,
   Siempre en sus promesas confiaré.

Grandes, fieles, Las promesas que el Señor Jesús ha dado,
Grandes, fieles, En ellas para siempre confiaré.

2. Todas sus promesas para el hombre fiel,
   El Señor en sus bondades cumplirá,
   Y confiado sé que para siempre en él,
   Paz eterna mi alma gozará.

Grandes, fieles, Las promesas que el Señor Jesús ha dado,
Grandes, fieles, En ellas para siempre confiaré.

3. Todas las promesas del Señor serán,
   Gozo y fuerza en nuestra vida terrenal;
   Ellas en la dura lid nos sostendrán,
   Y triunfar podremos sobre el mal.

Grandes, fieles, Las promesas que el Señor Jesús ha dado,
Grandes, fieles, En ellas para siempre confiaré.

4. Todas sus promesas me ayudarán
   A vencer las tentaciones de Satán.
   Puedo yo confiar en que mi Salvador
   Con su dulce voz me guiará.

Grandes, fieles, Las promesas que el Señor Jesús ha dado,
Grandes, fieles, En ellas para siempre confiaré.

R. Kelso Carter, 1849-1928; trad. estrofas 1-3, Vicente Mendoza; estrofa 4, Eduardo Steele.

126. Yo sé a quién he creído [E-12]

Porque yo sé a quien he creído, y... él es poderoso — 2 Timoteo 1:12

1. No sé por qué la gracia del Señor
   Me hizo conocer;
   Ni sé por qué su salvación me dio
   Y salvo soy por él.

Mas yo sé a quién he creído,
Y es poderoso para guardarme
Y en ese día glorioso Iré a morar con él.

2. No sé por qué la gracia del Señor
   En mí por fe se demostró;
   Ni sé por qué si sólo creo en él,
   La paz encontraré.

Mas yo sé a quién he creído,
Y es poderoso para guardarme
Y en ese día glorioso Iré a morar con él.

3. No sé por qué el Espíritu de Dios
   Convence de pecar;
   Ni sé por qué revela al pecador,
   Cuán negra es la maldad.

Mas yo sé a quién he creído,
Y es poderoso para guardarme
Y en ese día glorioso Iré a morar con él.

4. No sé la hora en que el Señor vendrá;
   De día o en oscuridad;
   ¿Será en el valle o en el mar,
   Que mi Jesús vendrá?

Mas yo sé a quién he creído,
Y es poderoso para guardarme
Y en ese día glorioso Iré a morar con él.

Daniel W. Whittle, 1840-1901; trad. Salomón R. Mussiett.

127. Tierra santa [E-13]

Porque el lugar donde tú estás tierra santa es — Éxodo 3:5

Nos postramos en tierra santa,
Sé que hay ángeles cantando alrededor.
A Cristo Jesús, alabamos,
En su presencia le adoramos y damos loor.

128. Por gracia soy perdonado [E-14]

*Bienaventurado aquel cuya transgresión ha
sido perdonada — Salmo 32:1*

Por gracia, soy perdonado;
Dios no mira mi pecar;
Y salvo de la culpa vil,
Nueva vida hay en mí,
Pues por su gracia salvo soy.

129. Olvidemos lo demás [E-15]

*Yo me alegré con los que me decían: "¡Vayamos
a la casa de Jehovah!" — Salmo 122:1*

1. // Olvidemos lo demás,
      alabemos al Señor de corazón. //
   Oh, gloria a Cristo Jesús.

2. // Olvidemos lo demás,
      alabemos al Señor, él viene ya. //
   Oh, gloria a Cristo Jesús.

130. **Corazones te ofrecemos** [E-16]

¡Venid, adoremos y postrémonos! — Salmo 95:6

1. Corazones te ofrecemos,
   Dios de vida y plenitud;
   Al Señor hoy honraremos
   Con lealtad y gratitud.
   Tú perdonas rebeliones
   Al que escoges para bien;
   En tus atrios los recibes
   Para darles tu sostén.

2. Tú respondes en justicia
   Y tremendas cosas das;
   Tierra y mar los beneficias
   Con salud, sostén y paz.
   En la tierra tú afirmas
   Las montañas con poder;
   Y el rugir de mares callas
   Y al gentío en su correr.

3. Las mañanas las alegras,
   A las tardes das favor;
   Maravillas son tus obras,
   Como muestras de tu amor.
   Tú visitas a la tierra
   Con tus lluvias, oh Señor,
   Y la riegas por doquiera;
   La enriqueces con verdor.

4. Con las aguas, los desiertos
   De renuevos vestirás,
   Y los valles como huertos
   Con sus frutos llenarás.
   Gracias hoy, Señor, te damos
   Porque aceptas la oración,
   Y los votos te pagamos
   Con placer y devoción.

Maurilio López, 1919-.

131. Por los lazos del santo amor [E-17]

Pero sobre todas estas cosas, vestíos de amor, que
es el vínculo perfecto — Colosenses 3:14

1. Por los lazos del santo amor
   Somos uno en el Señor.
   Nuestro espíritu está unido a él,
   Por los lazos del amor.

2. De este amor, con feliz canción
   Hoy cantemos de corazón,
   Y que el mundo vea que somos uno en él,
   Por los lazos del amor.

132. La familia de Dios [E-18]

De quien toma nombre toda familia en los
cielos y en la tierra — Efesios 3:15

Soy feliz porque soy de la familia de Dios;
Me lavó en la sangre mi Salvador.
Heredero con Cristo, hijo soy por su amor;
Soy feliz en la familia, la familia de Dios.

133. Adorar, trabajar, testificar [E-19]

Y que en su nombre se predicase el arrepentimiento
y la remisión de pecados — Lucas 24:47

1. Servid hoy al Maestro, Las nuevas esparcid;
   Iglesia del Dios vivo, A predicar salid.
   Creación del Padre eres En Cristo el Salvador;
   El Paracleto Santo Dará poder y amor.

2. Haz tuyo el plan de Cristo: Vé, busca al pecador;
   Rescata a los esclavos, Pero hazlo con valor.
   Amar a los humildes; Al que en dolor, calmar;
   Las cargas de los otros Tú debes aliviar.

3. De Cristo sé el cuerpo, Jesús cabeza es;
   Sé una carta abierta Que el mundo pueda ver.
   De Cristo sé el templo, El fundamento es él;
   Sé tú el altar de Cristo Do le adores fiel.

4. Cabeza de la iglesia, Ven, danos tu pensar;
   Queremos que nos guíes Tu obra a realizar.
   Los dones de tu gracia Impártenos, Señor;
   Y que vivamos juntos, Con todos en amor.

Henry Lyle Lambdin, 1892-; trad. Daniel Díaz.

134. Dios de gracia, Dios de gloria [E-20]

*El Dios de toda gracia..., os ha llamado a su eterna
gloria en Cristo Jesús — 1 Pedro 5:10*

1. Dios de gracia, Dios de gloria,
   Danos presto tu poder;
   A tu amada iglesia adorna
   Con un nuevo florecer.
   Danos luz y valentía
   // En la hora del deber. //

2. Hoy las fuerzas del maligno
   Nos acosan sin cesar;
   De temor y duda, Cristo
   Puede al alma resguardar.
   Danos luz y valentía
   // Para nunca desmayar. //

3. Nuestros odios inhumanos
   Cura con tu inmenso amor;
   Líbranos de goces vanos,
   Sin conciencia o sin valor.
   Danos luz y valentía
   // Frente a toda tentación. //

4. Guíanos por las más altas
   Rutas de la santidad;
   Proclamando para el alma
   Verdadera libertad.
   Danos luz y valentía
   // Y firmeza en tu verdad. //

Harry Emerson Fosdick, 1878-1969; trad. F. J. Pagura.
Letra usada con permiso de Elinor Fosdick Downs.

135. Ten fe en Dios [E-21]
Tened fe en Dios — Marcos 11:22

1. Ten fe en Dios cuando estás abatido;
   Él ve tu senda y escucha tu voz;
   Nunca jamás andan solos sus hijos;
   Siempre ten fe completa en Dios.

Ten fe en Dios, reinando está;
Ten fe en Dios, pues fiel te guardará;
No fallará, Él vencerá,
Siempre ten fe completa en Dios.

2. Ten fe en Dios, y verás que él escucha,
   Tus peticiones; él no olvidará.
   Pon tu confianza en sus santas promesas,
   Siempre ten fe; responderá.

Ten fe en Dios, reinando está;
Ten fe en Dios, pues fiel te guardará;
No fallará, Él vencerá,
Siempre ten fe completa en Dios.

3. Ten fe en Dios cuando sufres dolores;
   Él ve tus pruebas y desolación;
   Y él espera que traigas tus cargas,
   Y tengas de él consolación.

Ten fe en Dios, reinando está;
Ten fe en Dios, pues fiel te guardará;
No fallará, Él vencerá,
Siempre ten fe completa en Dios.

4. Ten fe en Dios aunque todo te falle;
En Dios ten fe, pues te socorrerá;
Él nunca falla, aunque reinos perezcan,
Él reina y siempre reinará.

Ten fe en Dios, reinando está;
Ten fe en Dios, pues fiel te guardará;
No fallará, Él vencerá,
Siempre ten fe completa en Dios.

B. B. McKinney, 1886-1952; trad. George P. Simmonds.
© Copyright 1934. Renovado 1962 Broadman Press. Traducido y usado con permiso.

136. Porque él vive [E-22]
Porque yo vivo, vosotros también viviréis. — Juan 14:19

1. Dios nos envió a su Hijo, Cristo;
Él es salud, paz y perdón.
Vivió y murió por mi pecado;
Vacía está la tumba porque él triunfó.

Porque él vive triunfaré mañana,
Porque él vive ya no hay temor;
Porque yo sé que el futuro es suyo,
La vida vale más y más sólo por él.

2. Grato es tener a un tierno niño;
Tocar su piel gozo nos da;
Pero es mejor la dulce calma
Que Cristo el Rey nos puede dar,
pues vivo está.

Porque él vive triunfaré mañana,
Porque él vive ya no hay temor;
Porque yo sé que el futuro es suyo,
La vida vale más y más sólo por él.

3. Yo sé que un día el río cruzaré;
   Con el dolor batallaré.
   Y al ver la vida triunfando invicta,
   Veré gloriosas luces y veré al Rey.

   Porque él vive triunfaré mañana,
   Porque él vive ya no hay temor;
   Porque yo sé que el futuro es suyo,
   La vida vale más y más sólo por él.

137. Los planes de Dios

"Porque yo sé los planes que tengo acerca de vosotros", dice Jehová, "planes de bienestar y no de mal, para daros porvenir y esperanza. Entonces me invocaréis. Vendréis y oraréis a mí, y yo os escucharé. Me buscaréis y me hallaréis, porque me buscaréis con todo vuestro corazón".

Jeremías 29:11-14

138. Afirma nuestra fe [E-23]
Cristo murió... resucitó... apareció — 1 Corintios 15:3-5

1. Afirma nuestra fe de Dios la gran verdad.
   Lo proclamamos hoy gozosos al adorar:

¡Cristo murió, resucitó y él vendrá otra vez!

2. El pan tomamos y la copa del dolor,
   Testificando en la cena del Señor:

¡Cristo murió, resucitó y él vendrá otra vez!

3. En duda o dolor tengamos fe en él.
   Esta seguridad nos guarda siempre fiel:

¡Cristo murió, resucitó y él vendrá otra vez!

4. Esta es la gran verdad que sí nos guiará
   Hacia el bello hogar do Cristo mora ya.

¡Cristo murió, resucitó y él vendrá otra vez!

Fred Pratt Green, 1903-; trad. estrofas 1-3, Annette Herrington y Josie Smith; estrofa 4,
Salomón R. Mussiett. © Copyright Hope Pub. Co., Carol Stream, IL 60188 Todos los derechos
reservados. Usado con permiso. Trad. © copyright 1997 *Editorial Mundo Hispano*.

139. Estoy bien [E-24]
(Alcancé salvación)
*Mi oración es que seas prosperado en todas
las cosas... así como... tu alma — 3 Juan 2*

1. De paz inundada mi senda ya esté,
   O cúbrala un mar de aflicción,
   Mi suerte cualquiera que sea, diré:
   "Estoy bien, tengo paz, ¡Gloria a Dios!"

Estoy bien, ¡Gloria a Dios!
Tengo paz en mi ser, ¡Gloria a Dios!

2. Ya venga la prueba o me tiente Satán,
   No amenguan mi fe ni mi amor;
   Pues Cristo comprende mis luchas, mi afán
   Y su sangre vertió en mi favor.

Estoy bien, ¡Gloria a Dios!
Tengo paz en mi ser, ¡Gloria a Dios!

3. Feliz yo me siento al saber que Jesús,
   Libróme de yugo opresor;
   Quitó mi pecado, clavólo en la cruz:
   Gloria demos al buen Salvador.

Estoy bien, ¡Gloria a Dios!
Tengo paz en mi ser, ¡Gloria a Dios!

4. La fe tornaráse en gran realidad
   Al irse la niebla veloz;
   Desciende Jesús con su gran majestad,
   ¡Aleluya! Estoy bien con mi Dios.

Estoy bien, ¡Gloria a Dios!
Tengo paz en mi ser, ¡Gloria a Dios!

Horatio G. Spafford, 1828-1888; trad. Pedro Grado Valdés.
Se agradece a los editores de *Celebremos su Gloria* el uso de porciones de este himno.

140. ¡Oh cuán dulce es fiar en Cristo! [E-25]
Dios es mi salvación. Confiaré — Isaías 12:2

1. ¡Oh cuán dulce es fiar en Cristo,
   Y entregarse todo a él;
   Esperar en sus promesas,
   Y en sus sendas serle fiel!

Jesucristo, Jesucristo,
Ya tu amor probaste en mí;
Jesucristo, Jesucristo,
Siempre quiero fiar en ti.

2. Es muy dulce fiar en Cristo,
   Y cumplir su voluntad,
   No dudando su palabra,
   Que es la luz y la verdad.

Jesucristo, Jesucristo,
Ya tu amor probaste en mí;
Jesucristo, Jesucristo,
Siempre quiero fiar en ti.

3. Siempre es grato fiar en Cristo,
   Cuando busca el corazón,
   Los tesoros celestiales
   De la paz y del perdón.

Jesucristo, Jesucristo,
Ya tu amor probaste en mí;
Jesucristo, Jesucristo,
Siempre quiero fiar en ti.

4. Siempre en ti confiar yo quiero
   Mi precioso Salvador;
   En la vida y en la muerte
   Protección me dé tu amor.

Jesucristo, Jesucristo,
Ya tu amor probaste en mí;
Jesucristo, Jesucristo,
Siempre quiero fiar en ti.

Louisa M. R. Stead, *c.* 1850-1917; es traducción.

141. Dulces melodías cantaré [E-26]
Puso en mi boca un cántico nuevo — Salmo 40:3

1. Dulces melodías cantaré,
   Y alabanzas al Señor,
   A su nombre gloria yo daré,
   Por su inefable amor.

De Jesús el nombre Dulce es para mí,
Canta el alma mía Melodías a mi Rey.

2. Yo vivía en sombras y en dolor,
   Triste, herido, pobre y vil,
   Mas la tierna mano del Señor
   Me llevó a su redil.

De Jesús el nombre Dulce es para mí,
Canta el alma mía Melodías a mi Rey.

3. Fuente perennal de gracia hallé
   Al amparo de su amor.
   Su sonriente faz me imparte fe,
   Esperanza y valor.

De Jesús el nombre Dulce es para mí,
Canta el alma mía Melodías a mi Rey.

4. Aunque por el valle de aflicción
   Tenga que pasar aquí,
   Cristo me dará su protección,
   Él se acordará de mí.

De Jesús el nombre Dulce es para mí,
Canta el alma mía Melodías a mi Rey.

5. La rosada aurora anuncia ya
   Que Jesús por mí vendrá,
   Mi alma alegre con él reinará
   En la celestial ciudad.

De Jesús el nombre Dulce es para mí,
Canta el alma mía Melodías a mi Rey.

Luther B. Bridgers, 1884-1948; trad. S. D. Athans.

142. Victoria en Cristo [F-1]
Nos da la victoria por medio de nuestro
Señor Jesucristo — 1 Corintios 15:57

1. Oí bendita historia, De Jesús quien de su gloria,
   Al Calvario decidió venir Para salvarme a mí.
   Su sangre derramada Se aplicó feliz a mi alma,
   Me dio victoria sin igual cuando me arrepentí.

Ya tengo la victoria, Pues Cristo me salva.
Buscóme y compróme Con su divino amor.
Me imparte de su gloria, Su paz inunda mi alma;
Victoria me concedió cuando por mí murió.

2. Oí que en amor tierno, Él sanó a los enfermos;
   A los cojos los mandó correr, Al ciego lo hizo ver.
   Entonces suplicante Le pedí al Cristo amante,
   Le diera a mi alma la salud y fe para vencer.

Ya tengo la victoria, Pues Cristo me
Buscóme y compróme Con su divino
Me imparte de su gloria, Su paz inun
Victoria me concedió cuando por mí

Sólr
F

3. Oí que allá en la gloria, Hay mansio
   Que su santa mano preparó Para los que él salvó.
   Espero unir mi canto Al del grupo sacrosanto,
   Que victorioso rendirá tributo al Redentor.

Ya tengo la victoria, Pues Cristo me salva.
Buscóme y compróme Con su divino amor.
Me imparte de su gloria, Su paz inunda mi alma;
Victoria me concedió cuando por mí murió.

143. El placer de mi alma [F-2]
Cristo es todo y en todos — Colosenses 3:11

1. ¿Quién podrá con su presencia
   Impartirme bendición?
   Sólo Cristo y su clemencia
   Pueden dar consolación.

Sólo Cristo satisface Mi transido corazón;
Es el Lirio de los valles Y la Rosa de Sarón.

2. Su amor no se limita,
   Es su gracia sin igual;
   Su merced es infinita,
   Más profunda que mi mal.

Sólo Cristo satisface Mi transido corazón;
Es el Lirio de los valles Y la Rosa de Sarón.

3. Redención sublime y santa
   Imposible de explicar;
   Que su sangre sacrosanta
   Mi alma pudo rescatar.

Cristo satisface Mi transido corazón;
␤ el Lirio de los valles Y la Rosa de Sarón.

4. Cristo suple en abundancia
   Toda mi necesidad;
   Ser de él, es mi ganancia,
   Inefable es su bondad.

Sólo Cristo satisface Mi transido corazón;
Es el Lirio de los valles Y la Rosa de Sarón.

Thoro Harris, 1873-1955; trad. H. T. Reza.
© Copyright 1931. Renovado 1959 Nazarene Publishing House (admin. por The Copyright
Co., Nashville, TN). Todos los derechos reservados. Amparado por la ley de copyright interna-
cional. Usado con permiso.

144. Grande gozo hay en mi alma hoy [F-3]
*Dios... es el que ha resplandecido en nuestros
corazones — 2 Corintios 4:6*

1. Grande gozo hay en mi alma hoy,
   Pues Jesús conmigo está;
   Y su paz, que ya gozando estoy,
   Por siempre durará.

Grande gozo, ¡Cuán hermoso!
Paso todo el tiempo bien feliz;
Porque tengo en Cristo grata y dulce paz,
Grande gozo siento en mí.

2. Hay un canto en mi alma hoy;
   Melodías a mi Rey;
   En su amor feliz y libre soy,
   Y salvo por la fe.

Grande gozo, ¡Cuán hermoso!
Paso todo el tiempo bien feliz;
Porque tengo en Cristo grata y dulce paz,
Grande gozo siento en mí.

3. Paz divina hay en mi alma hoy,
   Porque Cristo me salvó;
   Las cadenas rotas ya están;
   Jesús me libertó.

Grande gozo, ¡Cuán hermoso!
Paso todo el tiempo bien feliz;
Porque tengo en Cristo grata y dulce paz,
Grande gozo siento en mí.

4. Gratitud hay en mi alma hoy,
   Y alabanzas a Jesús;
   Por su gracia a la gloria voy,
   Gozándome en la luz.

Grande gozo, ¡Cuán hermoso!
Paso todo el tiempo bien feliz;
Porque tengo en Cristo grata y dulce paz,
Grande gozo siento en mí.

Eliza E. Hewitt, 1851-1920; es traducción.

145. Para andar con Jesús [F-4]
Caminó, pues, Enoc con Dios — Génesis 5:24

1. Para andar con Jesús No hay senda mejor
   Que guardar sus mandatos de amor;
   Obedientes a él Siempre habremos de ser,
   Y tendremos de Cristo el poder.

Obedecer, y confiar en Jesús,
Es la regla marcada Para andar en la luz.

2. Cuando vamos así, ¡Cómo brilla la luz
   En la senda al andar con Jesús!
   Su promesa de estar Con los suyos es fiel,
   Si obedecen y esperan en él.

Obedecer, y confiar en Jesús,
Es la regla marcada Para andar en la luz.

3. No podremos probar Sus delicias sin par
   Si seguimos mundano el placer;
   Disfrutamos su amor Y divino favor
   Al ser fieles en obedecer.

Obedecer, y confiar en Jesús,
Es la regla marcada Para andar en la luz.

4. Mas sus dones de amor Nunca habréis de alcanzar,
   Si rendidos no vais a su altar,
   Pues su paz y su amor Sólo son para aquel
   Que a sus leyes divinas es fiel.

John H. Sammis, 1846-1919; trad. Vicente Mendoza.
Se agradece a los editores de *Celebremos su Gloria* el uso de la tercera estrofa de este himno.

146. Dilo a Cristo [F-5]
Pedid, y se os dará — Lucas 11:9

1. Cuando estés cansado y abatido,
   Dilo a Cristo, Dilo a Cristo;
   Si te sientes débil, confundido,
   Dilo a Cristo el Señor.

// Dilo a Cristo, // Él es tu amigo más fiel;
No hay otro amigo como Cristo, Dilo tan sólo a él.

2. Cuando estés de tentación cercado,
   Mira a Cristo, Mira a Cristo;
   Cuando rugen huestes de pecado,
   Mira a Cristo el Señor.

// Mira a Cristo, // Él es tu amigo más fiel;
No hay otro amigo como Cristo, Dilo tan sólo a él.

3. Si se apartan otros de la senda,
   Sigue a Cristo, Sigue a Cristo;
   Si acrecienta en torno la contienda,
   Sigue a Cristo el Señor.

// Sigue a Cristo, // Él es tu amigo más fiel;
No hay otro amigo como Cristo, Dilo tan sólo a él.

4. Cuando llegue la final jornada,
Fía en Cristo, Fía en Cristo;
Te dará en el cielo franca entrada,
Fía en Cristo el Señor.

// Fía en Cristo, // Él es tu amigo más fiel;
No hay otro amigo como Cristo, Dilo tan sólo a él.

Jeremiah E. Rankin, 1828-1904; es traducción.

147. Te loamos, ¡oh Dios! [F-6]
Él es tu alabanza; él es tu Dios — Deuteronomio 10:21

1. Te loamos, ¡oh Dios! Con unánime voz,
Pues en Cristo tu Hijo Nos diste perdón.

¡Aleluya! Te alabamos, ¡Oh, cuán grande es tu amor!
¡Aleluya! Te adoramos, Bendito Señor.

2. Te loamos, Jesús, Pues tu trono de luz
Tú dejaste por darnos Salud en la cruz.

¡Aleluya! Te alabamos, ¡Oh, cuán grande es tu amor!
¡Aleluya! Te adoramos, Bendito Señor.

3. Te damos loor, Santo Consolador,
Que nos llenas de gozo Y santo valor.

¡Aleluya! Te alabamos, ¡Oh, cuán grande es tu amor!
¡Aleluya! Te adoramos, Bendito Señor.

4. Unidos load, A la gran Trinidad,
Que es la fuente de gracia, Poder y verdad.

¡Aleluya! Te alabamos, ¡Oh, cuán grande es tu amor!
¡Aleluya! Te adoramos, Bendito Señor.

William P. Mackay, 1837-1885; trad. H. W. Cragin.

148. Sé fiel al Señor [F-7]

Fortaleceos en el Señor y en el poder de su fuerza — Efesios 6:10

1. Sé fiel al Señor y pon la confianza
En Cristo Jesús porque fiel siempre es.
Abre tus alas como águila en vuelo,
Y vencerás cuando clames a él.

Sé fiel, sé fiel, sé fiel al Señor,
Y ten fortaleza, pues él te guiará.
Sé fiel, sé fiel, sé fiel al Señor,
La victoria es segura en Jesús.

2. Y pon la armadura que Dios ha provisto,
La puedes usar; es su amor redentor.
Confía en él, no te dejará solo;
Con su luz siempre te alumbrará.

Sé fiel, sé fiel, sé fiel al Señor,
Y ten fortaleza, pues él te guiará.
Sé fiel, sé fiel, sé fiel al Señor,
La victoria es segura en Jesús.

3. Sé fiel al Señor; y ten fortaleza;
El Rey poderoso victoria dará.
Y nada temas, Jesús trae el triunfo.
Su protección donde estés te dará.

Sé fiel, sé fiel, sé fiel al Señor,
Y ten fortaleza, pues él te guiará.
Sé fiel, sé fiel, sé fiel al Señor,
La victoria es segura en Jesús.

Linda Lee Johnson, 1947-; trad. Salomón R. Mussiett.
© Copyright 1979 Hope Publishing Co. Trad. © copyright 1997 por
Hope Publishing Co., Carol Stream, IL 60188. Usado con permiso.

149. Estad por Cristo firmes [F-8]

Tomad toda la armadura de Dios, para que podáis... quedar firmes — Efesios 6:13, 14

1. ¡Estad por Cristo firmes! Soldados de la cruz;
   Alzad hoy la bandera En nombre de Jesús.
   Es vuestra la victoria Con él por capitán,
   Por él serán vencidas Las huestes de Satán.

2. ¡Estad por Cristo firmes! Hoy llama a la lid;
   Con él, pues, a la lucha, ¡Soldados todos, id!
   Probad que sois valientes Luchando contra el mal;
   Si es fuerte el enemigo, Jesús es sin igual.

3. ¡Estad por Cristo firmes! Las fuerzas son de él.
   El brazo de los hombres Por débil no es fiel.
   Vestíos la armadura, Velad en oración.
   Deberes y peligros Demandan más tesón.

4. ¡Estad por Cristo firmes! Bien poco durarán
   La lucha y la batalla; Victoria viene ya.
   A todo el que venciere Corona se dará;
   Y con el Rey de gloria, Por siempre vivirá.

George Duffield, Jr., 1818-1888, trad. Jaime Clifford.

150. Listo y dispuesto, heme aquí [F-9]

Y yo respondí: "Heme aquí, envíame a mí" — Isaías 6:8

1. Cristo, si llamas, obedeceré;
   Si tú me guías, la senda hallaré.
   Dime, Señor, lo que tengo que hacer;
   Donde me lleves, allí serviré.

Cristo, me llamas, yo contestaré:
"Listo y dispuesto, Heme aquí".

2. Cuando me pides que tome mi cruz,
   Sufra reproches por causa de ti,
   Listo a seguir tus mandatos, Señor,
   Dame tu gracia y pronto lo haré.

Cristo, me llamas, yo contestaré:
"Listo y dispuesto, Heme aquí".

3. En vida o muerte, yo tuyo seré.
   Y aunque tan sólo mortal sea yo,
   Tú me perdonas, me das de tu amor,
   Y por tu gracia a tu luz volveré.

Cristo, me llamas, yo contestaré:
"Listo y dispuesto, Heme aquí".

Fanny Crosby, 1820-1915; trad. Salomón R. Mussiett.
Trad. © copyright 1997 *Editorial Mundo Hispano*.

151. Firmes y adelante [F-10]
*Sé partícipe de los sufrimientos como buen
soldado de Cristo Jesús — 2 Timoteo 2:3*

1. Firmes y adelante, Huestes de la fe,
   Sin temor alguno, Que Jesús nos ve.
   Jefe soberano, Cristo al frente va,
   Y la regia enseña Tremolando está:

Firmes y adelante, Huestes de la fe,
Sin temor alguno, Que Jesús nos ve.

2. Muévese potente La iglesia de Dios,
   De los ya gloriosos Vamos hoy en pos:
   Somos sólo un cuerpo, Y uno es el Señor,
   Una la esperanza, Y uno nuestro amor.

Firmes y adelante, Huestes de la fe,
Sin temor alguno, Que Jesús nos ve.

3. Tronos y coronas Pueden perecer;
   De Jesús la iglesia Siempre habrá de ser;
   Nada en contra suya Prevalecerá,
   Porque la promesa Nunca faltará.

Firmes y adelante, Huestes de la fe,
Sin temor alguno, Que Jesús nos ve.

4. Pueblos, vuestras voces A la nuestra unid,
   Y el cantar de triunfo Todos repetid:
   Prez, honor y gloria Dad a Cristo el Rey:
   Y por las edades Cante así su grey.

Firmes y adelante, Huestes de la fe,
Sin temor alguno, Que Jesús nos ve.

Sabine Baring-Gould, 1834-1924; trad. Juan B. Cabrera.

152. Cual pendón hermoso [F-11]

*Has dado bandera a los que te temen, para que
alcancen seguridad ante el arco — Salmo 60:4*

1. Cual pendón hermoso despleguemos hoy
   La bandera de la cruz,
   La verdad del evangelio de perdón
   Del soldado de Jesús.

Adelante, adelante, en pos de nuestro Salvador.
Nos da gozo y fe nuestro Rey, Adelante con valor.

2. Prediquemos siempre lo que dice Dios
   De la sangre de Jesús,
   Cómo limpia del pecado al mortal
   Y le da su plenitud.

Adelante, adelante, en pos de nuestro Salvador.
Nos da gozo y fe nuestro Rey, Adelante con valor.

3. En el mundo proclamemos con fervor
   Esta historia de la cruz;
   Bendigamos sin cesar al Redentor,
   Quien nos trajo paz y luz.

Adelante, adelante, en pos de nuestro Salvador.
Nos da gozo y fe nuestro Rey, Adelante con valor.

4. En el cielo nuestro cántico será
   Alabanzas a Jesús;
   Nuestro corazón allí rebosará
   De amor y gratitud.

Adelante, adelante, en pos de nuestro Salvador.
Nos da gozo y fe nuestro Rey, Adelante con valor.

Daniel W. Whittle, 1840-1901; trad. Enrique Turrall.

153. En las aguas del bautismo [F-12]

*Me mostró un río de agua de vida... que fluye
del trono de Dios — Apocalipsis 22:1*

1. En las aguas del bautismo
   Sumergido fue Jesús;
   Mas su amor no fue apagado
   Por sus penas en la cruz;
   Levantóse de la tumba,
   Las cadenas Cristo sacudió,
   Y triunfante y victorioso
   Él a los cielos subió.

2. En las aguas del bautismo
   Hoy confieso así mi fe:
   Jesucristo me ha salvado
   Y por Cristo viviré;
   Desde hoy yo para el mundo
   Ya no vivo, Cristo mora en mí.
   Es mi anhelo consagrarme
   Y sólo a Cristo servir.

3. Yo, que estoy crucificado,
   Ya no quiero más pecar.
   Yo, que estoy resucitado,
   Otra vida he de llevar.
   Pues, no reine ya en nosotros
   El pecado engañador;
   Presentemos nuestros cuerpos
   Para servir al Señor.

4. Ese río alcanzaremos.
   Nuestro tiempo pasará,
   Gozo habrá en los corazones,
   Nuestro canto hermoso será.
   En el cielo gozaremos
   Con el Rey de Reyes y Señor,
   Junto al agua de la vida
   Que viene del Señor.

Enrique Turrall, 1867-1953; alt.

154. Yo te sirvo [F-13]
Servid a Jehovah con alegría — Salmo 100:2

Yo te sirvo porque te amo;
Tú me has dado vida a mí.
No era nada y me buscaste;
Tú me has dado vida a mí.
Vidas hechas pedazos,
Te llevaron al Calvario tan cruel;
Tu amor será mi anhelo,
Tú me has dado vida a mí.

155. Tienen que saber [F-14]

*Aunque yo sea pobre y necesitado, Jehovah
pensará en mí — Salmo 40:17*

Tienen que saber, del amor de Dios,
En las pruebas y el temor, Él refugio da.
Tienen que saber, del amor de Dios,
Debemos proclamar, Tienen que saber.

Greg Nelson, 1948-; Phill McHugh, 1951-; trad. Sid D. Guillén.
© Copyright 1983 River Oaks Music Co. / Shepherd's Fold Music. River Oaks.
Todos los derechos reservados. Usado con permiso.

156. Mi corazón, oh examina hoy [F-15]

Examíname, oh Dios, y conoce mi corazón — Salmo 139:23

1. Mi corazón, oh examina hoy;
   Mis pensamientos, prueba, oh Señor.
   Ve si en mí perversidades hay;
   Por sendas rectas lléveme tu amor.

2. Dame, Señor, más de tu plenitud,
   Pues que tú eres fuente de salud.
   Sobre la cruz, en medio del dolor,
   Brotar la hiciste por tu gran amor.

3. En tu redil por siempre estaré,
   Pues a tu lado, mal no temeré.
   Guarda mi fe para poder vencer
   Hasta que al fin tu faz yo pueda ver.

4. Llena, Señor, tu Espíritu mi ser;
   Dame poder para testificar;
   Que tu verdad yo pueda proclamar;
   Ser bendición a la humanidad.

J. Edwin Orr, 1912-1987; trad. estrofas 1-3, Carlos P. Denyer y
Elizabeth Ritchey de Fuller; estrofa 4, Salomón R. Mussiett.
Trad. estrofa 4 © copyright 1997 *Editorial Mundo Hispano.*
Todos los derechos reservados.

157. Buscad primero [F-16]

Buscad primeramente el reino de Dios y su justicia — Mateo 6:33

1. Buscad primero el reino de Dios
   Y su perfecta justicia,
   Y lo demás añadido será.
   Alelu, aleluya.

2. Pedid, pedid y se os dará;
   Buscad y hallaréis.
   Llamad, llamad y la puerta se abrirá.
   Alelu, aleluya.

Karen Lafferty, 1948-; basado en las Escrituras; es traducción.
© Copyright 1972, MARANATHA! MUSIC. (Admin. por The Copyright Co., Nashville, TN.)
Todos los derechos reservados. Usado con permiso. Amparado por la ley de copyright internacional.

158. Avívanos, Señor [F-17]

*Oh Jehovah..., he considerado tu obra... Avívala
en medio de los tiempos — Habacuc 3:2*

1. Avívanos, Señor; Sintamos el poder
   Del Santo Espíritu de Dios En todo nuestro ser.

Avívanos, Señor, Con nueva bendición;
Inflama el fuego de tu amor En cada corazón.

2. Avívanos, Señor; Tenemos sed de ti.
   La lluvia de tu bendición Derrama ahora aquí.

Avívanos, Señor, Con nueva bendición;
Inflama el fuego de tu amor En cada corazón.

3. Avívanos, Señor; Despierta más amor,
   Más celo y fe en tu pueblo aquí, En bien del pecador.

Avívanos, Señor, Con nueva bendición;
Inflama el fuego de tu amor En cada corazón.

Albert Midlane, 1825-1909; alt. Fanny Crosby, trad. Enrique Turrall.

159. Quiero darte gracias [F-18]

Dad gracias en todo — 1 Tesalonicenses 5:18

// Quiero darte gracias Por lo grande de tu amor.
Quiero darte gracias, Amoroso y buen Señor. //
// Tanto tiempo buscaste, Y mi vida tocaste.
Ya no quiero más nada, Sólo conocerte más. //
Sólo conocerte más.

Anónimo.

160. Abre mis ojos [F-19]

*Entonces fueron abiertos los ojos de
ellos, y le reconocieron — Lucas 24:31*

Abre mis ojos, quiero ver a Cristo,
poderle tocar, decirle: "te amo".
Abre mi oído, ayúdame a oirte.
Abre mis ojos, quiero ver a Cristo.

Bob Cull, 1949-; es traducción.
© Copyright 1976 MARANATHA! MUSIC ASCAP. (Admin. por The Copyright Co., Nashville, TN.)
Todos los derechos reservados. Usado con permiso. Amparado por la ley de copyright internacional.

161. Del Señor, el pueblo somos [F-20]

*Para ser un sacerdocio santo, a fin de ofrecer
sacrificios... agradables a Dios — 1 Pedro 2:5*

1. Del Señor el pueblo somos, Lo mostramos por su amor.
Somos uno en espíritu, De esperanza la señal.
Demostremos nuestro cambio Que operó el Salvador,
Y gocemos todos juntos De su trono alrededor.

2. Del Señor sus siervos somos, Trabajamos para él;
Su trabajo realizamos Obedientes a su ley.
Hoy seguimos su bandera Y actuamos con tesón,
Ocupados en la obra Que reclama fiel acción.

3. Del Señor profetas somos, Y anunciamos la verdad;
La justicia defendemos Con limpieza, claridad.
Y valientes avanzamos A cumplir con el deber,
Porque así el mundo puede A Jesús bien conocer.

Thomas A. Jackson, 1931-; trad. Daniel Díaz R.
© Copyright 1975, trad. © copyright 1978 Broadman Press. Usado con permiso.

162. Ser a los pueblos [F-21]

Vosotros resplandecéis como luminares en el mundo,
reteniendo la palabra de vida — Filipenses 2:15, 16

1. Oh Dios eterno visión pedimos
   de un mundo que perdido está sin ti.
   Los campos blancos están esperando el
   Mensaje de la salvación.

Ser a los pueblos siempre aquí,
el reflejo de tu amor.
Que proclamemos salvación,
que amas tú al pecador.

2. De Dios el pueblo queremos ser
   y llevar a otros su preciosa luz.
   La luz que brilla, faro que ilumina
   La senda de la salvación.

Ser a los pueblos siempre aquí,
el reflejo de tu amor.
Que proclamemos salvación,
que amas tú al pecador.

Charles F. Brown, 1942-; trad. Salomón R. Mussiett.
© Copyright 1974 WORD MUSIC (una div. de WORD, INC.).
Trad. © copyright 1997 *Editorial Mundo Hispano*. Todos los derechos reservados.
Usado con permiso.

163. Abre mis ojos a la luz [F-22]

Abre mis ojos, y miraré las maravillas — Salmo 119:18

1. Abre mis ojos a la luz,
   Tu rostro quiero ver, Jesús;
   Pon en mi corazón tu bondad,
   Y dame paz y santidad,
   Humildemente acudo a ti,
   Porque tu tierna voz oí;
   Mi guía sé, Espíritu Consolador.

ıi oído a tu verdad,
ro oír con claridad
labras de dulce amor,
...ıı bendito Salvador.
Consagro a ti mi frágil ser;
Tu voluntad yo quiero hacer;
Llena mi ser, Espíritu Consolador.

3. Abre mis labios para hablar,
   Y a todo el mundo proclamar
   Que tú viniste a rescatar
   Al más perdido pecador.
   La mies es mucha, ¡oh Señor!
   Obreros faltan de valor;
   Heme aquí, Espíritu Consolador.

Clara H. Scott, 1841-1897; trad. S. D. Athans.

164. Al Cristo vivo sirvo [F-23]

Id de prisa y decid a sus discípulos que ha
resucitado de entre los muertos — Mateo 28:7

1. Al Cristo vivo sirvo y él en el mundo está;
   Aunque otros lo negaren yo sé que él vive ya.
   Su mano tierna veo, su voz consuelo da,
   Y cuando yo le llamo, muy cerca está.

Él vive, él vive, hoy vive el Salvador;
Conmigo está y me guardará mi amante Redentor.
Él vive, él vive, imparte salvación.
Sé que él viviendo está porque vive en mi corazón.

2. En todo el mundo entero contemplo yo su amor,
   Y al sentirme triste consuélame el Señor;
   Seguro estoy que Cristo mi vida guiando está,
   Y que otra vez al mundo regresará.

Él vive, él vive, hoy vive el Salvador;
Conmigo está y me guardará mi amante Redentor.
Él vive, él vive, imparte salvación.
Sé que él viviendo está porque vive en mi corazón.

3. Regocijaos, cristianos, hoy himnos entonad;
   Eternas aleluyas a Cristo el Rey cantad.
   La única esperanza es del mundo pecador,
   No hay otro tan amante como el Señor.

Él vive, él vive, hoy vive el Salvador;
Conmigo está y me guardará mi amante Redentor.
Él vive, él vive, imparte salvación.
Sé que él viviendo está porque vive en mi corazón.

Alfred H. Ackley, 1887-1960; trad. George P. Simmonds.
© Copyright 1933 por WORD, INC. (ASCAP), 65 Music Square West Nashville, TN 37203.
© Copyright renovado 1962. Todos los derechos reservados. Usado con permiso.

165. En pecados y temor [F-24]

Me hizo subir del... lodo cenagoso... Puso
mis pies sobre una roca — Salmo 40:2

1. En pecados y temor el Salvador me vio,
   Aunque indigno pecador sin merecer amor;
   En Calvario al morir mi vida rescató,
   Mi salud fue consumada en la cruz.

// Ven al Señor, ¡Oh pecador!
Él es tu amigo fiel, Ven pecador. //

2. De la tumba ya surgió, mi Redentor Jesús;
   A la muerte derrotó, dándonos plena luz;
   Vida eterna el pecador goza por fe en él,
   Y los muertos han de oír su dulce voz.

// Ven al Señor, ¡Oh pecador!
Él es tu amigo fiel, Ven pecador. //

3. A los cielos ascendió Cristo triunfante Rey,
   A la diestra de Jehová está tu Mediador,
   Intercede en tu favor, no te detengas, pues;
   No desprecies esta voz: es tu Señor.

// Ven al Señor, ¡Oh pecador!
Él es tu amigo fiel, Ven pecador. //

H. C. Ball, 1896-1989.

166. ¡Cuán grande amor! [G-1]

Se asombraron y glorificaron a Dios — Marcos 2:12

1. Que Cristo me haya salvado
   Tan malo como yo fui,
   Me deja maravillado,
   Pues él se entregó por mí.

¡Cuán grande amor! ¡Oh grande amor!
El de Cristo para mí.
¡Cuán grande amor! ¡Oh grande amor!
Pues por él salvado fui.

2. Oró por mí en el huerto:
   "No se haga mi voluntad".
   Y todo aquel sufrimiento
   Causado fue por mi mal.

¡Cuán grande amor! ¡Oh grande amor!
El de Cristo para mí.
¡Cuán grande amor! ¡Oh grande amor!
   Pues por él salvado fui.

3. Por mí se hizo pecado,
   Mis culpas su amor llevó.
   Murió en la cruz olvidado,
   Mas mi alma él rescató.

¡Cuán grande amor! ¡Oh grande amor!
El de Cristo para mí.
¡Cuán grande amor! ¡Oh grande amor!
Pues por él salvado fui.

4. Cuando al final con los santos
   Su gloria contemplaré,
   Con gratitud y con cantos
   Por siempre le alabaré.

¡Cuán grande amor! ¡Oh grande amor!
El de Cristo para mí.
¡Cuán grande amor! ¡Oh grande amor!
Pues por él salvado fui.

Charles H. Gabriel, 1856-1932; trad. H. T. Reza.

167. Cristo es como un cantar [G-2]

Cantando y alabando al Señor en vuestros corazones — Efesios 5:19

1. Mi Salvador, Señor y Rey
   Del mundo es el creador,
   Su amor en mí puso un cantar
   de pleno gozo y paz.

Cristo es como un cantar, Canto pleno de verdad.
Mi canción es para él, Pues me dio la salvación.

2. En mis angustias y dolor
   Encuentro en él consolación.
   Fue por amor que él compró
   con sangre mi perdón.

Cristo es como un cantar, Canto pleno de verdad.
Mi canción es para él, Pues me dio la salvación.

3. A mi Señor adoraré;
   Mi alma está en paz con Dios,
   Y cantaré en la eternidad
   con gozo mi canción.

Cristo es como un cantar, Canto pleno de verdad.
Mi canción es para él, Pues me dio la salvación.

David Danner, 1951-1995; trad. Salomón R. Mussiett.
© Copyright 1979 Broadman Press. Trad. © copyright 1983 Broadman Press.
Traducido y usado con permiso.

168. Compartamos la cena del Señor [G-3]

Esto es mi cuerpo que por vosotros es partido — 1 Corintios 11:24

1. // Compartamos la cena del Señor. //

Recordemos a quien por nosotros murió en la cruz.
Señor, pedimos piedad.

2. Compartamos el pan en gratitud:
   Cuerpo herido por mí en la cruenta cruz.

Recordemos a quien por nosotros murió en la cruz.
Señor, pedimos piedad.

   3. Compartamos la copa en gratitud.
      Representa la sangre del Señor.

Recordemos a quien por nosotros murió en la cruz.
Señor, pedimos piedad.

Canción religiosa de los negros; trad. Salomón R. Mussiett.
Trad. © copyright 1982 *Casa Bautista de Publicaciones.*

169. Uno más [G-4]
*De quien toma nombre toda familia en
los cielos y en la tierra — Efesios 3:15*

// Uno más, uno más;
Compartiendo a Jesucristo con amor. //

David Justice, 1948-; trad. Russell Herrington.
© Copyright 1990 por Van Ness Press, Inc. (ASCAP). Usado con permiso.
Trad. © copyright 1997 *Editorial Mundo Hispano.* Todos los derechos reservados.

170. Pan tú eres, oh Señor [G-5]
*Al atardecer, él estaba sentado a la mesa
con los doce — Mateo 26:20*

1. Pan tú eres, oh Señor, Para mi bien;
   Roto en pedazos fuiste tú por mí.
   ¡Cuán grande amor se vio Por cada quien,
   Al permitirte Dios Sufrir así!

2. La copa de dolor, Bebiste allí;
   Cual hiel y azotes son Mis males, sí;
   Pero tu amor cundió Y en mi lugar
   Vertiste sangre allí Para salvar.

Guillermo Blair, 1919-.
© Copyright 1997 *Editorial Mundo Hispano.*

171. Sagrado es el amor [G-6]
Para que sean una cosa, así como nosotros lo somos — Juan 17:11
1. Sagrado es el amor Que nos ha unido aquí,
   A los que oímos del Señor La fiel palabra, sí.

2. A nuestro Padre Dios, Rogamos con fervor,
   Alúmbrenos la misma luz, Nos una el mismo amor.

3. Nos vamos a ausentar, Mas nuestra firme unión
   Jamás podráse quebrantar Por la separación.

4. Concédenos, Señor, La gracia y bendición
   Del Padre, Hijo Redentor Y del Consolador.

John Fawcett, 1740-1817; es traducción.

172. Unidad

Pero no ruego solamente por éstos, sino también por los que han de creer en mí por medio de la palabra de ellos; para que todos sean una cosa, así como tú, oh Padre, en mí y yo en ti, que también ellos lo sean en nosotros; para que el mundo crea que tú me enviaste. Yo les he dado la gloria que tú me has dado, para que sean una cosa así como también nosotros somos una cosa. Yo en ellos y tú en mí, para que sean perfectamente unidos; para que el mundo conozca que tú me has enviado y que los has amado, como también a mí me has amado.

Juan 17:20-23

173. Con alma y voz te alabaré [G-7]
Todos bebieron la misma bebida espiritual...
Cristo — 1 Corintios 10:4

1. Con alma y voz te alabaré
   Y yo tus glorias cantaré;
   Adoro yo tu majestad,
   Te alabaré por tu verdad.
   Verdad y gracia sólo son
   // En tu palabra bendición. //

2. Clamé a ti por mi salud;
   Me dio tu ley poder, virtud.
   Los reyes prez a ti darán,
   Pues tu palabra escucharán.
   Y cantarán con dulce son
   // Las glorias de tu salvación. //

3. Señor, que en luz y gloria estás,
   Tu reino es de santa paz;
   Los malos no verán el bien,
   Mas tú al piadoso das sostén.
   En toda mi tribulación
   // Me das, Señor, consolación. //

4. Tu diestra fiel extenderás;
   A mi adversario vencerás;
   Tu obra en mi corazón
   Tendrá de ti la perfección.
   Merced y gracia hay en ti;
   // Memoria ten, Señor, de mí. //

Juan N. de los Santos, 1876-1944.

174. Tengo paz como un río [G-8]
Y la paz de Dios... guardará vuestros corazones — Filipenses 4:7

1. // Tengo paz como un río, Tengo paz como un río,
   Tengo paz como un río en mi ser. //

2. // Tengo amor como un río, Tengo amor como un río,
   Tengo amor como un río en mi ser. //

3. // Tengo gozo como un río, Tengo gozo como un río,
   Tengo gozo como un río en mi ser. //

Canción religiosa de los negros; trad. Anónimo.

175. Huellas divinas [G-9]
Lo dejaron todo y le siguieron — Lucas 5:11

1. Dulcemente Jesús nos llama: "Ven, sígueme".
   Sus pisadas nos guían hasta Do Cristo está.

Huellas divinas que dan su resplandor,
Seguiremos los pasos de Jesús, el Señor.

2. A la busca de los perdidos Vamos a ir,
   Por los ríos, montañas, valles, Nos quiere allí.

Huellas divinas que dan su resplandor,
Seguiremos los pasos de Jesús, el Señor.

3. Ellas guían al santo templo Y a predicar
   A las almas necesitadas, Sirviendo a Dios.

Huellas divinas que dan su resplandor,
Seguiremos los pasos de Jesús, el Señor.

4. Cuando ya todo se termine, Hemos de ir;
   Con sus pasos nos guía al cielo Con él vivir.

Huellas divinas que dan su resplandor,
Seguiremos los pasos de Jesús, el Señor.

Mary B. C. Slade, 1826-1882; trad. Salomón R. Mussiett.
Trad. © copyright 1997 *Editorial Mundo Hispano*. Todos los derechos reservados.

176. Danos un bello hogar [G-10]
Traigo a la memoria la fe no fingida que hay en ti — 2 Timoteo 1:5

1. Danos un bello hogar:
   Donde la Biblia se pueda ver;
   Donde tu amor bienestar nos dé;
   Donde en ti todos tengan fe.
   // ¡Danos un bello hogar! //

2. Danos un bello hogar:
   Donde el padre es fuerte y fiel;
   Donde no haya el sabor a hiel,
   Donde en su ambiente haya sólo miel.
   // ¡Danos un bello hogar! //

3. Danos un bello hogar:
   Donde la madre con devoción,
   Sepa mostrarnos tu compasión.
   Donde tú habites con santa unción.
   // ¡Danos un bello hogar! //

4. Danos un bello hogar:
   Donde los hijos podrán saber
   Cómo Jesús los quiere ver
   A su amparo y así vencer.
   // ¡Danos un bello hogar! //

B. B. McKinney, 1886-1952; trad. Guillermo Blair.
Trad. © copyright 1978 Broadman Press. Usado con permiso.

177. Ama a tus prójimos [G-11]
A otros haced salvos, arrebatándolos del fuego — Judas 23

1. Ama a tus prójimos, Piensa en sus almas,
   Diles la historia del buen Salvador;
   Cuida del huérfano, Hazte su amigo;
   Cristo le es padre y fiel Salvador.

Habla al incrédulo, mira el peligro;
Dios le perdonará, Dios le amará.

2. Aunque recházanle, Tiene paciencia
   Hasta que puédales dar la salud;
   Venle los ángeles Cerca del trono;
   Vigilaránles con solicitud.

Habla al incrédulo, mira el peligro;
Dios le perdonará, Dios le amará.

3. Habla a tus prójimos, Cristo te ayuda;
   Dios, fortaleza, gustoso dará;
   Él te bendecirá En tus esfuerzos,
   A gloria eterna él te llevará.

Habla al incrédulo, mira el peligro;
Dios le perdonará, Dios le amará.

4. Amar al prójimo Fuerza requiere
   La fuerza recibirás del Señor;
   Ténles paciencia Hasta alcanzarlos;
   Diles que Cristo por ellos murió.

Habla al incrédulo, mira el peligro;
Dios le perdonará, Dios le amará.

Fanny J. Crosby, 1820-1915; trad. estrofas1-3, P. H. Goldsmith; estrofa 4, Salomón R. Mussiett.
Trad. estrofa 4 © copyright 1997 *Editorial Mundo Hispano*. Todos los derechos reservados.

178. Consagraos, oh cristianos [G-12]

Para ser un sacerdocio santo, a fin de ofrecer
sacrificios... agradables a Dios — 1 Pedro 2:5

1. Consagraos, oh cristianos,
   Al servicio del Señor,
   Y armonice vuestra vida
   En acuerdos de amor.
   A sus atrios acercaos;
   Vuestros votos renovad;
   Y alejados del pecado,
   Vuestra vida transformad.

2. Vuestro tiempo y talentos,
   Dones son de nuestro Dios:
   Para usarlos libremente
   Y anunciar su amor y voz.
   Hoy servid a Jesucristo
   Y ofrendas, diezmos dad;
   Y él bendiga vuestra obra,
   Y os dé siempre su bondad.

3. Dios nos manda amar a todos
   Sin ninguna distinción.
   Compasión hacia el hermano
   Es su plan de redención.
   Jesucristo nos ha dado
   De su amor, que es divinal,
   Y en la cruz perdón tuvimos,
   Paz y gozo sin igual.

4. Hoy venid con alabanzas
   Los que en Cristo ya creéis;
   Adoradle, consagrados,
   Y su amor recibiréis.
   Dadle gloria por su gracia,
   Su Palabra santa y fiel;
   Repetid del evangelio
   Esta historia por doquier.

Eva B. Lloyd, 1912- ; trad. Pablo Filós.
© Copyright 1966 Broadman Press. Trad. © copyright 1978 Broadman Press.
Usado con permiso.

179. Da amor [G-13]

No cesaban de enseñar y anunciar la buena nueva — Hechos 5:42

1. Más grande que la tierra es el amor de Dios,
   Extenso y profundo más que el mar.
   La vida abundante nos la da el Señor;
   Amor que Dios en su Hijo al mundo quiso dar.

Da amor contando lo que Dios hizo por ti,
Da amor viviendo por la fe,
Demuestra al mundo que Jesús es real en ti,
Cada día vive en ti.

2. Aquel que confía en el amor de Dios
   Mejor tesoro no podrá encontrar.
   Dirá al que vive angustiado y en error:
   Fue por amor que Dios a su Hijo quiso dar.

Da amor contando lo que Dios hizo por ti,
Da amor viviendo por la fe,
Demuestra al mundo que Jesús es real en ti,
Cada día vive en ti.

3. Mostremos siempre que Dios es amor,
   De Cristo la presencia reflejando;
   Y que su Santo Espíritu nos guía hoy
   Por el amor que Dios en su Hijo vino a dar.

Da amor contando lo que Dios hizo por ti,
Da amor viviendo por la fe,
Demuestra al mundo que Jesús es real en ti,
Cada día vive en ti.

William J. Reynolds, 1920-; trad. Daniel León Ortiz.
© Copyright 1973 Broadman Press. Trad. © copyright 1973 Broadman Press.
Usado con permiso.

180. Grato es contar la historia [G-14]

Perpetuamente cantaré las misericordias de Jehovah — Salmo 89:1

1. Grato es contar la historia Del celestial favor;
De Cristo y de su gloria, De Cristo y de su amor;
Me agrada referirla, Pues sé que es la verdad;
Y nada satisface Cual ella, mi ansiedad.

¡Cuán bella es esa historia! Mi tema de victoria,
Es esta antigua historia De Cristo y de su amor.

2. Grato es contar la historia Que ayuda al mortal;
Que en glorias y portentos No reconoce igual;
Me agrada referirla, Pues me hace mucho bien:
Por eso a ti deseo Decírtela también.

¡Cuán bella es esa historia! Mi tema de victoria,
Es esta antigua historia De Cristo y de su amor.

3. Grato es contar la historia Que antigua, sin vejez,
Parece al repetirla Más dulce cada vez;
Me agrada referirla, Pues hay quien nunca oyó
Que para hacerle salvo El buen Jesús murió.

¡Cuán bella es esa historia! Mi tema de victoria,
Es esta antigua historia De Cristo y de su amor.

Katherine Hankey 1834-1911; trad. Juan B. Cabrera.

181. Aprisa, ¡Sion! [G-15]

Oh Sion, tú que anuncias buenas nuevas.
Levanta con fuerza la voz — Isaías 40:9

1. Aprisa *¡Sion!, que tu Señor espera;
Al mundo entero di que Dios es luz;
Que el Creador no quiere que se pierda
Una sola alma, lejos de Jesús.

Nuevas proclama de gozo y paz,
Nuevas de Cristo, salud y libertad.

2. Ve cuántos miles yacen retenidos
   Por el pecado en lóbrega prisión;
   No saben nada de él que ha sufrido
   En vida y cruz por darles redención.

Nuevas proclama de gozo y paz,
Nuevas de Cristo, salud y libertad.

3. A todo pueblo y raza, fiel, proclama
   Que Dios, en quien existen, es amor;
   Que él bajó para salvar sus almas;
   Por darles vida, muerte él sufrió.

Nuevas proclama de gozo y paz,
Nuevas de Cristo, salud y libertad.

4. Tus hijos da, que lleven su palabra;
   Y con tus bienes hazlos proseguir.
   Por ellos tu alma en oración derrama,
   Que todo Cristo te ha de retribuir.

Nuevas proclama de gozo y paz,
Nuevas de Cristo, salud y libertad.

Mary Ann Thompson, 1834-1923; trad. Alejandro Cativiela.
* La palabra "Sion", como se usa en el himno, significa el pueblo de Dios.

182. Haz arder mi alma [G-16]

*Pero recibiréis poder cuando el Espíritu Santo
haya venido sobre vosotros — Hechos 1:8*

1. Haz arder mi alma en tu ley, Señor,
   Y tu voz divina pueda yo escuchar;
   Muchos en tinieblas siguen el error,
   Quiero con tu gracia hoy testificar.

Haz arder mi alma, hazla arder, oh Dios;
Hazme un testigo de tu salvación.
Muchos en tinieblas claman por tu voz:
Haz arder mi alma con tu compasión.

2. Haz arder mi alma por el pecador,
Tu pasión yo sienta para trabajar.
Llena hoy mi vida con tu santo amor
Y seré obediente a tu voluntad.

Haz arder mi alma, hazla arder, oh Dios;
Hazme un testigo de tu salvación.
Muchos en tinieblas claman por tu voz:
Haz arder mi alma con tu compasión.

3. Haz arder mi alma en virtudes hoy,
Pues errante andaba en mi necedad;
Nada es importante más que tú, Señor,
Hazme fiel testigo de tu gran verdad.

Haz arder mi alma, hazla arder, oh Dios;
Hazme un testigo de tu salvación.
Muchos en tinieblas claman por tu voz:
Haz arder mi alma con tu compasión.

Gene Bartlett, 1918-1988; trad. Adolfo Robleto.
© Copyright 1965. Renovado 1993. Albert E. Brumley & Sons / SESAC. (admin. por ICG).
Todos los derechos reservados. Usado con permiso.

183. Brilla, Jesús [G-17]

*Aquél era la luz verdadera que alumbra a
todo hombre que viene al mundo — Juan 1:9*

1. Dios, la luz de tu amor brillando está,
En el medio de las tinieblas,
Cristo, eres la luz de este mundo,
Tu verdad revelada nos libra.
Brilla en mí. Brilla en mí.

Brilla, Jesús, reflejando la luz del Padre;
Espíritu arde en nuestro ser.
Fluyan doquier ríos de gracia y misericordia;
Manda poder y que venga la luz.

2. A tu santa presencia vengo
   De la sombra a tu luz radiante,
   Puedo entrar a través de la sangre;
   Pruébame y consume mi oscuridad.
   Brilla en mí. Brilla en mí.

Brilla, Jesús, reflejando la luz del Padre;
Espíritu arde en nuestro ser.
Fluyan doquier ríos de gracia y misericordia;
Manda poder y que venga la luz.

3. Contemplando tu faz brillante,
   Nuestros rostros dan tu imagen;
   Transformados de gloria en gloria,
   Nuestras vidas reflejan tu historia.
   Brilla en mí. Brilla en mí.

Brilla, Jesús, reflejando la luz del Padre;
Espíritu arde en nuestro ser.
Fluyan doquier ríos de gracia y misericordia;
Manda poder y que venga la luz.

Graham Kendrick, 1950-; trad. Luis Alfredo Díaz y Lori Black.
© Copyright 1987 Make Way Music (admin. por Music Services en el hemisferio occidental).
Todos los derechos reservados. Usado con permiso. ASCAP.

184. La historia de Cristo diremos [G-18]
Y este evangelio... será predicado en todo el mundo — Mateo 24:14

1. La historia de Cristo diremos,
   Que dará al mundo la luz,
   La paz y el perdón anunciamos,
   // Comprados en cruenta cruz. //

Nos quitó toda sombra densa,
Alejó nuestra oscuridad,
El nos salvó, nuestra paz compró,
Nos dio luz y libertad.

2. La historia de Cristo cantemos,
   Melodías dulces cantad.
   Un tono alegre tendremos,
   // De Cristo en Navidad. //

3. La historia de Cristo daremos,
   Al mortal que va sin su amor:
   "Que Dios dio a su Hijo", diremos,
   "Y // hallemos en él favor." //

4. A Jesús todos confesaremos,
   Él nos dio su gran salvación,
   Por él al Señor dirigimos,
   // Con fe toda oración. //

H. Ernest Nichol, 1862-1926; trad. Enrique Sánchez.

185. Envíame a mí [G-19]

Y yo respondí: Heme aquí, envíame a mí — Isaías 6:8

1. Dios de poder, oh Dios de luz,
   Oh Santo Espíritu,
   Haz que tu iglesia firme esté
   Sirviendo por doquier.
   A quien rebelde es aun hoy
   Hacerlo pueda Rey, Señor;
   Y a quienes vea sucumbir, Envíame a mí.

2. Tu santo fuego enciende en mí
   Y da poder, y así
   Tu santa luz haré brillar
   Y sombras disipar
   Cuando otros sientan gran pesar
   Si pierden algo terrenal,
   Ganancia es morir por ti. Envíame a mí.

3. Haz, oh Señor, que pueda yo
   Ser digno portador
   Del santo amor que al hombre das,
   Hoy y en la eternidad.
   Que sea esta mi canción:
   Mis culpas él por mí sufrió.
   Y al ver su cruz, exclamé así: Envíame a mí.

Ross Coggins, 1927-; trad. Agustín Ruiz V.
© Copyright 1956. Renovado 1984 Broadman Press. Traducido y usado con permiso.

186. Jesús, Jesús, oh danos tu amor [G-20]

Que os améis los unos a los otros, como yo os he amado — Juan 15:12

Jesús, Jesús, Oh danos tu amor,
Enséñanos a servir a los prójimos.

1. A sus amigos él sirve, A sus amigos él ama,
   Dueño que sirve a los siervos de él.

Jesús, Jesús, Oh danos tu amor,
Enséñanos a servir a los prójimos.

2. Prójimos ricos y pobres, Prójimos de otros colores,
   Prójimos que cerca y lejos están.

Jesús, Jesús, Oh danos tu amor,
Enséñanos a servir a los prójimos.

3. Son ellos que necesitan Sentir el amor cristiano,
   Todos son prójimos que debo amar.

Jesús, Jesús, Oh danos tu amor,
Enséñanos a servir a los prójimos.

4. Arrodillados amamos, Sirviendo como esclavos,
   Así es como debemos servir.

Jesús, Jesús, Oh danos tu amor,
Enséñanos a servir a los prójimos.

5. Lavar los pies de los otros, Como lo hizo el Maestro,
   Así debemos servir cual Jesús.

Jesús, Jesús, Oh danos tu amor,
Enséñanos a servir a los prójimos.

Tom Colvin, 1925-; trad. estrofas 1-4, Jonathan Aragón; estrofa 5, Salomón R. Mussiett.
© Copyright 1969, Hope Publishing Company. Trad. © copyright 1997 Hope Publishing
Company, Carol Stream, IL 60188. Usado con permiso.

187. Lo debes compartir [G-21]

Dominará de mar a mar — Salmo 72:8

1. Con una sola chispa se enciende un fuego,
   Y los de alrededor caliéntanse muy luego;
   Así es el amor de Dios,
   Esto al experimentar,
   Y este amor hay que esparcir:
   Lo debes compartir.

2. Las matas al brotar en bella primavera,
   Las aves al cantar, las flores al abrirse
   Nos hablan del amor de Dios;
   Y esto al experimentar,
   A todos lo has de repetir:
   Lo debes compartir.

3. Deseo para ti, mi amigo, este gozo;
   Confía en Dios así, y hallarás reposo;
   // De las montañas gritaré
   El gran mensaje de amor,
   Que a todos hay que repetir:
   Lo debes compartir. //

Kurt Kaiser, 1934-; trad. Marjorie J. de Caudill.
© Copyright 1969 BudJohn Songs, Inc. (ASCAP). Usado con permiso.

188. Ven tú, ¡oh Rey eterno! [G-22]

*Yo soy Jehovah tu Dios... que te conduce por el
camino en que has de andar — Isaías 48:17*

1. Ven tú, ¡oh Rey eterno! La marcha suena ya;
   Al campo de combate Tu voz nos enviará;
   Tu gracia, al prepararnos, Nos fortalecerá,
   Y en entusiasmo santo Un himno vibrará.

2. Ven tú, ¡oh Rey eterno! El mal a combatir;
   En medio de la lucha Tu paz haznos sentir;
   Pues no con las espadas Ni con el dardo vil,
   Mas con amor y gracia Tu reino ha de venir.

3. Ven tú, ¡oh Rey eterno! Marchamos sin temor;
   Doquier tu rostro alumbra Hay júbilo y valor.
   Tu cruz nos ilumina; Ampáranos tu amor,
   Y celestial corona Aguarda al vencedor.

Ernest W. Shurtleff, 1862-1917; trad. Angel Archilla Cabrera.

189. Alcemos hoy la cruz [G-23]
Yo... atraeré a todos a mí mismo — Juan 12:32

¡Alcemos hoy la cruz del Salvador,
Que todo ser le rinda adoración!

1. Sigamos hoy los pasos del Señor,
   El Rey de gloria, Hijo del gran Dios.

¡Alcemos hoy la cruz del Salvador,
Que todo ser le rinda adoración!

2. Cristianos todos, siervos del Señor,
   La cruz alcemos, muestra de su amor.

¡Alcemos hoy la cruz del Salvador,
Que todo ser le rinda adoración!

3. Nuestro Señor a esa cruz subió
   Y así su gracia Dios nos demostró.

¡Alcemos hoy la cruz del Salvador,
Que todo ser le rinda adoración!

4. Toda nación, la entera creación,
   En él proclamen paz y salvación.

¡Alcemos hoy la cruz del Salvador,
Que todo ser le rinda adoración!

5. La gran canción cantemos todos hoy,
   Canción del triunfo de nuestro Señor.

¡Alcemos hoy la cruz del Salvador,
Que todo ser le rinda adoración!

George W. Kitchin, 1827-1912; alt., Michael R. Newbolt; trad. Salomón R. Mussiett.
© Copyright 1974 Hope Publishing Company. Trad. © copyright 1997 Hope Publishing
Company, Carol Stream, IL 60188. Todos los derechos reservados. Usado con permiso.

190. Canto para las naciones [G-24]

No cesaban de enseñar... la buena nueva de que
Jesús es el Cristo — Hechos 5:42

1. Una luz que alumbre hoy a los pueblos,
   Divina luz para la humanidad;
   Que tu nombre puedan los pueblos conocer,
   Y en nosotros pueda brillar.

2. Una voz de esperanza llevemos,
   De vida en Cristo a la humanidad;
   Que el mundo vea de Dios la salvación,
   Su amor al mundo mostrar.

3. Vamos a cantar un canto de gloria
   A Cristo que nuestras deudas ya pagó;
   Y que todos sepan que Cristo es el Señor,
   Él nos salva por su amor.

4. Que tu reino venga a los pueblos todos;
   Tu voluntad todos cumplan con placer,
   Y que el mundo se llene de la paz de Dios,
   Que de todos seas el Rey.

Chris Christensen, 1957-; trad. Salomón R. Mussiett.
© Copyright 1986 Intergrity's Hosanna! Music / ASCAP, Box 851622, Mobile, AL 33685.
Trad. © copyright 1996 *Editorial Mundo Hispano*. Usado con permiso.

191. Somos uno [G-25]

Para que sean perfectamente unidos — Juan 17:23

Somos uno en el Señor Jesús.
Trabajamos juntos en la obra del Señor.
Somos uno en el Señor Jesús.
Servidores somos por su amor.

Daniel Browne López.
© Copyright 1990 *Casa Bautista de Publicaciones*. Trad. © copyright 1997
Editorial Mundo Hispano.

ÍNDICE ALFABÉTICO DE HIMNOS

ÍNDICE DE LECTURAS BÍBLICAS
POR ORDEN ALFABÉTICO

ÍNDICE DE LECTURAS BÍBLICAS POR ORDEN BÍBLICO

Antiguo Testamento

Nuevo Testamento

ÍNDICE DE LECTURAS BÍBLICAS POR TEMAS

Alabanza y adoración

Navidad

Salvación

Semana Santa

Sostén y guía
Salmo 23 Jehovah es mi pastor, 30
Salmo 91:1, 2 Protección divina, 7
Jeremías 29:11-14 Los planes de Dios, 137

ÍNDICE DE AUTORES, TRADUCTORES, COMPOSITORES Y FUENTES ORIGINALES

Otros recursos disponibles
en la familia de
Cantos de Alabanza y Adoración
de la Editorial Mundo Hispano

EMH 48326: Juego de 7 discos compactos *Cantos de Alabanza y Adoración, Songs of Praise and Worship* 180 pistas instrumentales.

EMH 32212: *Cantos de Alabanza y Adoración, Songs of Praise and Worship* (himnario bilingüe con música, edición para la congregación).

EMH 32213: *Cantos de Alabanza y Adoración, Songs of Praise and Worship* (himnario bilingüe con música, edición para el acompañante y púlpito).